O LOBO DA
ESTEPE

OBRAS DO AUTOR PUBLICADAS PELA EDITORA RECORD

Com a maturidade fica-se mais jovem
Demian
Felicidade
Francisco de Assis
O jogo das contas de vidro
O Lobo da Estepe
A magia de cada começo
Narciso e Goldmund
Quem pode amar é feliz
Sidarta
O último verão de Klingsor
A unidade por trás das contradições: religiões e mitos

TRADUÇÃO DE IVO BARROSO

HERMANN HESSE
O LOBO DA ESTEPE

62ª EDIÇÃO

EDITORA RECORD
RIO DE JANEIRO • SÃO PAULO
2025

EDITORA-EXECUTIVA
Renata Pettengill

SUBGERENTE EDITORIAL
Mariana Ferreira

ASSISTENTE EDITORIAL
Pedro de Lima

CAPA
Leonardo Iaccarino

DIAGRAMAÇÃO
Beatriz Carvalho
Juliana Brandt

REVISÃO
Renato Carvalho

TÍTULO ORIGINAL
Der Steppenwolf

CIP-BRASIL. CATALOGAÇÃO NA PUBLICAÇÃO
SINDICATO NACIONAL DOS EDITORES DE LIVROS, RJ

H516L
62ª ed.

Hesse, Hermann, 1877-1962
 O lobo da estepe / Hermann Hesse; tradução de Ivo Barroso. – 62ª ed.
 – Rio de Janeiro: Record, 2025.
 23 cm.

 Tradução de: Der Steppenwolf
 ISBN 978-85-01-11388-7

 1. Ficção alemã. I. Barroso, Ivo. II. Título.

20-64540

CDD: 833
CDU:8 2-3(430)

Leandra Felix da Cruz Candido – Bibliotecária – CRB-7/6135

Título original:
Der Steppenwolf

Copyright © 1995 by Hermann Hesse

Texto revisado segundo o novo Acordo Ortográfico da Língua Portuguesa.

Todos os direitos reservados. Proibida a reprodução, no todo ou em parte, através de quaisquer meios. Os direitos morais do autor foram assegurados.

Direitos exclusivos de publicação em língua portuguesa somente para o Brasil adquiridos pela
EDITORA RECORD LTDA.
Rua Argentina, 171 – Rio de Janeiro, RJ – 20921-380 – Tel.: (21) 2585-2000, que se reserva a propriedade literária desta tradução.

Impresso no Brasil

ISBN 978-85-01-11388-7

Seja um leitor preferencial Record.
Cadastre-se no site www.record.com.br
e receba informações sobre nossos
lançamentos e nossas promoções.

Atendimento e venda direta ao leitor:
sac@record.com.br

Prefácio do tradutor

Escrito em 1927, *O Lobo da Estepe* já desafiou, incólume, o gosto e as tendências de várias gerações e, agora, adentra o terceiro milênio na certeza de que continuará a despertar a atenção de novos e mais céticos leitores. Porque este é um livro que não se lê inocuamente, por mera distração ou para se estar em dia com os sucessos do momento. É um livro que mexe, que altera, que subverte a estrutura psíquica do leitor e se coloca além do tempo e de suas influências por se ter transformado num clássico. Por isso, mesmo aqueles que já o leram em outras fases da vida encontram na releitura uma nova satisfação, descobrem nas sutilezas de sua trama, na profundidade de suas cogitações, no intrincado de sua simbologia, outras revelações que a experiência ou a apuração da sensibilidade literária lhes fará reconhecer.

É curioso notar que Hesse apresenta, no livro, três versões de seu personagem: a primeira, um suposto prefácio do editor, que na figura do sobrinho da senhoria do Lobo da Estepe relata o breve conhecimento que teve do hóspede. É a narrativa típica de um burguês que vê com estranheza a proximidade de um indivíduo singular, de hábitos conflitantes com os seus, os quais julga os únicos apropriados ao ser humano. A segunda é a narrativa do próprio personagem, Harry Haller, cujo nome aliterativo já é uma insinuação de ser ele o *alter ego* do escritor. Na verdade, grandes partes da narrativa, em especial a evocação da juventude de Haller, são de cunho autobiográfico. Ademais, a propensão de Harry para viver em ambientes burgueses, embora abomine e vergaste a burguesia, torna seu perfil bastante próximo da idealização que dele faz o sobrinho da locadora. E a terceira, atribuída ao desconhecido autor do panfleto *Tratado do Lobo da Estepe*, que o personagem recebe de um propagandista ambulante, é vazada numa linguagem próxima do jargão psicanalítico e contém o estudo do comportamento de um "lobo da estepe", que é o retrato em corpo e alma inteiros dele mesmo.

Esse sistema tríplice de exposição vai se repetir nos outros personagens — Hermínia, Maria e Pablo —, que são desdobramentos da personalidade de Harry. A primeira, de forma insistente, afirma ser "o espelho de Harry", e o modo quase magisterial com que se expressa convém muito mais à formação cultural deste do que a uma garota de programa, que é a atividade dela. Hermínia chega mesmo, em determinado ponto da narrativa, a verbalizar a teoria de Ludwig Klages de que o corpo e a alma eram unos a princípio, até serem separados pelo intelecto, que se identifica com a serpente paradisíaca, portanto, com o demônio, o que constitui uma das teses preferidas do Lobo. Se Hermínia é o componente feminino de Haller a partir do próprio nome (Hermann-Hermínia), Maria por sua vez é apenas o corpo que se entrega, a parte "disponível" de Hermínia, pois esta se recusa a unir-se com Haller e deseja ser "morta" por ele. Já Pablo é sua versão masculina, aquele que gostaria de ser, e por isso suas referências guardam necessariamente um caráter homossexual, masturbatório, ou seja, o ser copulando consigo mesmo. Todos esses personagens vão se encontrar no Teatro Mágico, uma espécie de eufemismo para o uso de drogas.

Tudo isso poderia levar o leitor a ver no livro uma dessas narrativas simbólicas, que necessitam de decodificação psicanalítica para seu melhor entendimento. Mas, na verdade, não chega a ser bem ou só isso. O cerne do livro é, sem dúvida, o conflito entre os impulsos naturais do ser e as contenções espirituais de sua contraparte. Mas, com pouco, o autor reconhece que a dualidade homem-lobo é por demais simplificadora, que dentro de cada ser há centenas, milhares de outros seres, enfim, que a personalidade humana está sujeita a uma infinidade de atitudes, que encerra toda espécie de labirintos.

A partir desse núcleo, pode-se dizer que o livro é um breviário de reeducação moral, de desmantelamento de uma vida voltada para o ascetismo e sujeita a todo tipo de contenções, uma indução a que o personagem realize os impulsos que nele permaneciam sufocados. Quem conhece a juventude devota de Hesse — destinado por seus pais missionários à carreira eclesiástica; sua passagem por muitos seminários, donde foge finalmente para tentar vida autônoma na Suíça, como aprendiz de relojoeiro e caixeiro de livraria — percebe logo que o escritor fez da necessidade de "libertar" outros seres retraídos, semelhantes a ele, uma bandeira, um programa de vida literária, mediante a apresentação de paralelos que são capazes de reconciliar as partes antagônicas da personalidade. Não se esqueça de que Hesse, por essa época, tinha uma esposa em crise psiquiátrica e ele próprio se consultava em Luzerna com o Dr. J. Lange, discípulo de Jung.

A esse propósito, é admirável aquele momento do Teatro Mágico em que Haller (e consequentemente Hesse) recorda sua timidez diante da primeira namorada, a quem não ousa dizer as palavras que lhe teriam aberto as portas da plenitude. A possibilidade de revisão do passado, de passar a vida a limpo, que lhe oferece o Teatro Mágico, encerra a lição de que é preciso vencer as inibições mediante a coragem de agir. Hesse pratica aí uma espécie de surrealismo *avant la lettre*, fazendo a existência prevalecer à essência, como na famosa proposição de Sartre. No fim, percebe-se que o Lobo da Estepe, sem abrir mão de seu refinamento, de seu elitismo, de sua sublimação musical, quer e pode igualmente participar do mundo dos comuns e nele reconhecer alegrias que, outrora, lhe pareciam vedadas ou indignas. *O Lobo da Estepe* é, pois, um *Bildungsroman* goethiano em sentido contrário, em que se cruzam temas de Hoffmann, Nietzsche, Freud e Dostoiévski.

O livro tem sua parte, por assim dizer, politicamente correta: o personagem é antibelicista (de maneira quase agressiva), ecológico (a ponto de querer arrancar os edifícios para dar lugar a antigos parques e jardins); condena a sociedade capitalista (que gostaria de ver afogada para sempre). Mas tem também suas derrapadas e incongruências: a maneira como descreve Pablo, embora cheia de insinuações, tem algo de racista quando fala em seus "olhos de mestiço" (*Kreolenaugen* em alemão); a insistência na divisão elitista da sociedade entre homens "diferentes" (intelectualmente bem-dotados) e homens comuns (a massa ignara). Mas são incontestavelmente válidas sua condenação da guerra e sua análise do nacional-socialismo que então tomava corpo na Alemanha. Outra das cenas singulares que ocorrem no Teatro Mágico (cujo sucedâneo hoje seriam os jogos virtuais) é, sem dúvida, a "caçada automobilística" em que Haller e seu ex-colega de escola Gustav se postam no belvedere de uma estrada para disparar contra todos os carros que aparecem. Gustav expõe sua teoria de que a guerra serve para equilibrar a proliferação humana e diz que tanto faz abater os carros que venham numa ou noutra direção, querendo Hesse com isso talvez significar que a guerra é uma insanidade sob qualquer ponto de vista. Ao mesmo tempo, Haller, veemente condenador da ação guerreira sob todas as suas formas, experimenta um estranho prazer em destroçar os veículos que surgem. Hesse terá provavelmente pretendido demonstrar com essa espécie de parábola que mesmo os seres ditos racionais podem se entregar à carnificina dependendo das circunstâncias em que se encontrem. Quando surge um transeunte que nada tem a ver com a existência ou a destruição dos carros, Haller pergunta a Gustav: "Você gostaria de atirar contra aquele homem e lhe fazer um buraco na nuca? Por Deus que eu não conseguiria." Ao que o amigo retruca: "Isso porque não te ordenaram", podendo isso significar que até mesmo os bem-pensantes são capazes de violência e terror quando açulados por um *Führer*.

É claro que um livro como este tenha levantado protestos tanto da direita quanto da esquerda. O próprio Hesse, quando de sua publicação, reclamava que "a burguesia rejeitava o livro por ser impiedoso e desordenado, e os socialistas porque o achavam irremediavelmente individualista (ou seja, demasiadamente 'burguês', segundo eles)". Embora o livro seja tudo isso ao mesmo tempo, ele se coloca num lugar à parte graças à luminosidade de seu estilo, ao poderoso arsenal léxico de suas construções elaboradas, e mesmo à sua poesia, que, longe de nos darem a sensação de artificialismo, nos transmitem uma emoção de coisa vívida e vivida, de pulsação, de energia, de clarividência. Além disso, nunca se poderá esquecer que ele representou extraordinário avanço sobre a linguagem da época, com sua temática ousada, em que há referências explícitas ao uso de drogas e a comportamentos eróticos e homossexuais pouco frequentes nas obras sérias de então.

Por este e outros motivos foi que, ao ser atribuído a Hesse o Prêmio Nobel de Literatura de 1946, Anders Österling, secretário da Academia desde 1941, entusiasmado defensor dessa candidatura proposta por Thomas Mann, teve de recuar de seu propósito de condecoderar "obras cujo estilo apresentasse audácias inovadoras" para atribuí-lo unicamente à poesia de Hesse, em que o melódico se funde numa vaga espiritualidade simbolista. Österling, que escrevera um vigoroso prefácio para a edição sueca de *O Lobo da Estepe* em 1932, só conseguira convencer seus pares a conceder a láurea a Hermann Hesse calando sobre os extraordinários impactos demolidores do escritor. Diante desses equívocos, o próprio Hesse achou conveniente escrever um posfácio ao livro, em que ressalta que "a história do Lobo da Estepe é, sem dúvida alguma, de sofrimentos e necessidades, mas mesmo assim não é um livro de um homem em desespero, mas o de um homem que crê. Embora trate de enfermidade e crise, não conduz à destruição e à morte, mas, ao contrário, à redenção".

Ivo Barroso

Prefácio

Este livro contém as anotações que nos foram deixadas daquele a quem chamávamos, para usar uma expressão de que ele próprio usualmente se valia, o Lobo da Estepe. Questiona-se se este manuscrito necessita ou não de um prefácio; seja como for, de minha parte julgo imperioso acrescentar, às do Lobo da Estepe, algumas páginas em que procurarei plasmar as recordações que me ficaram de sua pessoa. Bem pouco é o que sei a seu respeito, sendo-me particularmente desconhecidos seu passado e sua origem: conservo, entretanto, de sua personalidade uma forte impressão e — cumpre-me declará-lo — bastante simpática, apesar de tudo.

O Lobo da Estepe era um homem de cerca de 50 anos que, certa vez, faz algum tempo, apareceu em casa de minha tia à procura de um quarto mobiliado para alugar. Interessou-se por um cômodo no andar superior, bem como por um dormitório contíguo. Voltou dias depois, trazendo duas malas e uma grande caixa com livros, e morou conosco durante cerca de nove ou dez meses. Vivia muito sossegado e para si. Não fosse a proximidade de nossos dormitórios nos proporcionar ocasionais encontros na escada e no corredor, e não nos teríamos conhecido, pois o homem era de fato insociável. E insociável a tal ponto que assim, estou para dizer, eu jamais observara em quem quer que fosse. Era realmente um Lobo da Estepe, conforme ele próprio, às vezes, costumava chamar-se: um ser estranho, selvagem e, ao mesmo tempo, tímido, muito tímido mesmo, pertencente a um mundo bem diverso do meu.

Embora antes, graças aos nossos frequentes encontros, eu já lobrigasse algum conhecimento sobre sua maneira de ser, foi só após inferi-lo dos escritos aqui deixados que vim a saber do profundo isolamento em que ele mergulhara, seguindo uma tendência natural e fatalística, que o levava a considerar conscientemente tal isolamento como uma imposição de seu destino. Creio mesmo que o retrato que dele formei, em função de seus escritos, seja, na essência, bem semelhante àquele (embora mais difuso e sem precisão de detalhes) que me ficou de nosso trato pessoal.

Por casualidade, eu me encontrava presente no momento em que o Lobo da Estepe entrou pela primeira vez em casa de minha tia e com esta contratou o aluguel do apartamento. Chegou exatamente à hora do almoço; os pratos ainda estavam sobre a mesa e eu dispunha de algum tempo livre antes de ter que regressar ao escritório. Não posso esquecer a estranha impressão que me causou nesse primeiro encontro. Fez soar a campainha e avançou pela porta de vidro da entrada, em cuja semiescuridão minha tia foi perguntar-lhe o que desejava. Mas, antes de dar uma resposta ou dizer o nome, ele, o Lobo da Estepe, ergueu a cabeça afilada e de cabelos curtos, farejou avidamente o ar, exclamando: "Hum! Que cheiro bom aqui!" Riu em seguida, e minha boa tia riu também, mas eu achei cômica aquela forma de apresentação, sentindo-me algo indisposto contra ele.

— Vim ver o quarto que a senhora tem para alugar — disse.

Foi só quando subimos os três pela escada ao andar superior que pude observá-lo com atenção: não era muito alto, mas tinha o andar e a postura de cabeça das pessoas espigadas; vestia um sobretudo de inverno, de talhe moderno e cômodo, e, quanto ao mais, estava decentemente vestido, embora com certo desalinho; o rosto bem barbeado e os cabelos curtos, nos quais se viam aqui e ali mechas grisalhas. A princípio, não me agradou nada seu modo de andar; tinha algo de pesado e inseguro que não se harmonizava com o perfil sisudo e enérgico nem com o tom e o teor de sua conversação. Somente mais tarde é que eu soube estar enfermo e que o caminhar lhe resultava incômodo. Com um sorriso muito introspectivo, que naquela ocasião também me pareceu desagradável, examinou a escada, as paredes, as janelas e os altos e velhos armários dos vãos: tudo ali parecia agradar-lhe e, ao mesmo tempo, dava a impressão de achar tudo ridículo. De um modo geral, deu-nos a ideia de alguém que tivesse chegado de um mundo estranho, talvez de países de além-mar, e encontrasse aqui tudo perfeitamente agradável, mas ao mesmo tempo um tanto cômico. Era, não se pode negar, cortês e até mesmo amável; aceitou logo e sem objeções a casa, o quarto, o preço do aluguel e do café da manhã, mas mesmo assim havia, pelo menos me pareceu, uma atmosfera estranha de hostilidade e desagrado em torno daquele homem. Alugou a saleta e também o dormitório, procurou ficar a par de tudo que dizia respeito à calefação, água, serviços e os hábitos da casa; ouviu tudo atentamente e com muita amabilidade, mostrando-se de acordo com tudo. Em seguida, ofereceu também um pagamento antecipado sobre o aluguel, embora me parecesse não estar de acordo com absolutamente nada daquilo. Parecia estar achando-se ridículo em suas atitudes e querer levar tudo na brincadeira, como se fosse algo de extraordinário e novo alugar um quarto e conversar normalmente em alemão, estando, no íntimo, ocupado com outras coisas bem diversas daquelas.

De certo modo, esta foi minha impressão, que teria sido ainda pior se não a corrigissem e delineassem as expressões de seu rosto, pois foi sobretudo a face daquele homem o que nele me agradou desde o princípio. Apesar daquela impressão de estranheza, sua fisionomia me agradou. Era, de certa forma, peculiar e triste, mas ao mesmo tempo astuta, inteligente, fatigada e espiritual. Ocorre que, para dispor-me mais facilmente à reconciliação, havia em sua cortesia e amabilidade — embora parecessem resultado de algum esforço — uma total ausência de orgulho; ao contrário mesmo, havia nelas algo de comovente, de quase suplicante, para o que só mais tarde encontrei explicação, mas que desde logo me predispôs a seu favor.

Antes que terminasse a inspeção dos cômodos e de levar a cabo o trato, já o meu tempo de almoço se havia esgotado e eu devia regressar ao trabalho. Despedi-me e deixei-o com minha tia. Quando voltei à noitinha a casa, disse-me ela que o senhor havia finalmente alugado o quarto e que para lá se mudaria dentro em breve, tendo-lhe pedido, contudo, que não comunicasse sua entrada à polícia, pois a um homem doente como ele seriam incômodas essas formalidades e andanças pelas delegacias e tudo mais.

Lembro-me perfeitamente da admiração que tal fato me causou e de como recriminei minha tia por ter concordado com tal exigência. Esse temor à polícia era compatível demais com seu ar esquisitão e pouco amistoso para não me despertar suspeitas. Fiz ver à minha tia que concordar com aquele pedido pessoal poderia, em tais circunstâncias, acarretar-lhe sérios aborrecimentos, e que, portanto, não devia em hipótese alguma consentir. Mas fiquei logo sabendo que ela prometera satisfazer-lhe o desejo e que havia, além disso, deixado fascinar-se pelo singular personagem. Na verdade, para com todos os hóspedes, acabava por demonstrar sentimentos humanos, amistosos, de tia, e muitas vezes maternais, coisa de que alguns souberam aproveitar-se bem. E logo nas primeiras semanas ficou patente que, enquanto eu tinha muito a reprovar no novo inquilino, minha tia cada vez mais o colocava sob sua calorosa proteção.

Como não me agradasse o fato de não se ter feito comunicação alguma à polícia, quis inteirar-me pelo menos do quanto minha tia indagara acerca do estranho, de sua origem e de suas pretensões. Já era algo que sabia, embora o homem pouco demorasse após minha saída. Disse-lhe que pretendia ficar na cidade alguns meses, frequentar a biblioteca e visitar os monumentos notáveis.

Minha tia não se mostrou satisfeita ao saber que a locação se faria por tão curto prazo, mas evidentemente ele já a havia conquistado, a despeito de sua singular apresentação. Em suma, os quartos já estavam alugados e minhas advertências haviam chegado tarde.

— Por que achou bom o cheiro daqui? — perguntei.

Ao que minha tia, que às vezes tinha bons pressentimentos, respondeu:

— Sei perfeitamente por quê. Nossa casa cheira a limpeza, a ordem, a uma vida amistosa e decente, e isso lhe agradou muito. Parece que fazia muito tempo não sentia isso e já estava lhe fazendo falta.

Mais uma razão, pensei comigo.

— Mas — perguntei — se ele não está acostumado a uma vida ordenada e decente, que poderá acontecer? Que fará a senhora se ele não for asseado e emporcalhar tudo, ou se voltar para casa todas as noites bêbado?

— Isso veremos — retrucou ela, e eu deixei o caso morrer por aí.

Meus receios, na verdade, não tinham fundamento. O inquilino, embora não levasse de modo algum vida ordenada e racional, nunca nos molestou nem prejudicou em nada, e até hoje nos lembramos dele com prazer. Mas intimamente, na alma, esse homem nos perturbou e prejudicou, tanto à minha tia quanto a mim, e, a bem dizer, até hoje ainda não consegui me libertar dele. Às vezes, ainda sonho com ele, e sinto-me profundamente perturbado e inquieto por sua causa e pela simples existência de um ser assim, embora tenha vindo a sentir por ele um verdadeiro afeto.

Dois dias depois um carregador chegou trazendo as bagagens do estranho, que se chamava Harry Haller. Uma bela maleta de couro causou-me ótima impressão, e a outra mala grande, de cabine, deixava entrever longas viagens, pois estava recoberta de etiquetas coloridas de hotéis e agências de viagens de vários países, inclusive de ultramar.

Logo depois apareceu o próprio, e então principiou o tempo em que fui conhecendo aos poucos esse homem extraordinário. Inicialmente, de minha parte, nada fiz para isso. Embora tivesse me interessado por Haller desde o primeiro instante em que o vi, não tomei nas primeiras semanas qualquer iniciativa de me aproximar dele ou com ele travar conversação. Em vez disso, devo confessá-lo, a verdade é que desde o princípio passei a observar um pouco o indivíduo, e até mesmo, durante sua ausência, invadi seu quarto e, por natural curiosidade, me dediquei a espionar.

Sobre o aspecto exterior do Lobo da Estepe já disse alguma coisa. Desde o primeiro momento dava a impressão de ser um homem importante e bem-dotado; sua fisionomia era toda espiritual e o jogo extraordinariamente delicado de suas expressões faciais denotava uma vida anímica interessante, bastante intensa, delicada e sensível.

Quando se falava com ele e, o que não era habitual, ele se deixava ir além dos limites do convencional e dizia coisas pessoais e singulares, então a palestra passava imediatamente a subordinar-se a ele, uma vez que havia pensado mais do que os outros homens e tinha nas questões espirituais aquela quase fria objetividade, aquela segurança de pensar e de saber que só possuem os homens verdadeiramente espirituais, que carecem de toda ambição, que nunca desejam brilhar nem persuadir aos demais nem arvorar-se em donos da verdade.

Lembro-me, já nos últimos tempos de sua estada conosco, de um conceito dessa natureza, que nem chegou a ser mesmo um conceito, mas antes unicamente um olhar. Foi quando um célebre historiador e crítico de arte, de renome europeu, anunciou uma conferência na universidade local e logrei persuadir o Lobo da Estepe a que fosse assistir a ela, embora não me demonstrasse nenhum prazer em ir. Fomos juntos e nos sentamos um ao lado do outro no auditório. Quando o orador subiu à tribuna e começou a elocução, decepcionou, pela maneira presumida e frívola de seu aspecto, a muitos de seus ouvintes, que o haviam imaginado algo assim como um profeta. E quando então começou a falar e, à guisa de introdução, endereçou aos ouvintes palavras lisonjeiras, agradecendo-lhes por terem comparecido em tão grande número, nesse exato momento o Lobo da Estepe me lançou um olhar instantâneo, um olhar de crítica àquelas palavras e a toda a pessoa do conferencista, oh!, um olhar inesquecível e tremendo, sobre cuja significação poder-se-ia escrever um livro inteiro! O olhar não apenas criticava o orador e destruía a celebridade daquele homem com sua ironia esmagadora embora delicada; não, isso era o de menos. Havia naquele olhar um tanto mais de tristeza que de ironia; era na verdade um olhar profundo e desesperadamente triste, com o qual traduzia um desespero calado, de certo modo irremediável e definitivo, que já se transformara em hábito e forma. Não só transverberava com sua desesperada claridade a pessoa do vaidoso orador, ironizava e punha em evidência a situação do momento, a expectativa e a disposição do público e o título um tanto pretensioso da anunciada conferência — não, o olhar do Lobo da Estepe penetrava todo o nosso tempo, toda a afetação, toda a ambição, toda a vaidade, todo o jogo superficial de uma espiritualidade fabricada e frívola. Ah! lamentavelmente, o olhar ia mais fundo ainda, ia além das simples imperfeições e desesperanças de nosso tempo, de nossa espiritualidade, de nossa cultura. Chegava ao coração de toda a humanidade; expressava, num único segundo, toda a dúvida de um pensador, talvez a de um conhecedor da dignidade e, sobretudo, do sentido da vida humana. Esse olhar dizia: "Veja os macacos que somos! Veja o que é o homem!" E toda a celebridade, toda a inteligência, toda a conquista do espírito, todo o afã para alcançar a sublimidade, a grandeza e o duradouro do humano se esboroavam de repente e não passavam de frívolos trejeitos!

Com isso acabei me antecipando demasiadamente e, contra meu propósito e desejo, vim a dizer o essencial que pretendia sobre Haller, quando, na verdade, era minha intenção revelar aos poucos sua imagem, à medida que fosse relatando o paulatino conhecimento que tive a seu respeito.

Mas, já que me adiantei tanto, poupo-me agora de falar mais extensamente sobre a enigmática "estranheza" de Haller e de relatar como pressenti e fui gradativamente conhecendo os fundamentos e a significação daquela estranheza, daquele descomunal e terrível isolamento. Assim é melhor, pois quero deixar à parte, tanto quanto possível, minha própria personalidade. Não desejo expor meus conhecimentos, nem escrever uma novela, nem desenvolver uma tese psicológica, mas simplesmente, como testemunha, contribuir com algo para a imagem do homem singular que estes manuscritos do Lobo da Estepe nos deixaram esboçada.

Já desde o primeiro olhar, ao entrar pela porta envidraçada da casa de minha tia, quando ergueu a cabeça à semelhança de um pássaro e aspirou o agradável odor do recinto, de certo modo pressenti a singularidade daquele homem, e minha primeira reação a tudo aquilo foi de repugnância. Tive a impressão (e minha tia, que ao contrário de mim não é, de modo algum, uma intelectual, teve quase que a mesma impressão) de que o homem estava enfermo, de que sofria de uma espécie qualquer de enfermidade, da alma, do espírito ou do caráter, e me defendi contra tudo isso com meu instinto de pessoa sã. Essa resistência, com o correr do tempo, foi-se transformando em simpatia, em compaixão para com aquele profundo e permanente sofredor, cujo isolamento e cuja morte íntima eu contemplava. Nesse decurso, cada vez mais me convencia de que a enfermidade daquele paciente não provinha de qualquer deficiência de sua natureza, mas, ao contrário, tão somente da não lograda harmonia entre a riqueza de seus dons e sua força. Convenci-me de que Haller era um gênio do sofrimento; que ele, no sentido das várias acepções de Nietzsche, havia forjado dentro de si uma capacidade de sofrimento genial, ilimitada e terrível. Também me apercebi de que a base de seu pessimismo não era o desprezo do mundo, mas antes o desprezo de si mesmo, pois, podendo falar sem indulgência e impiedosamente das instituições e das pessoas, nunca excluía a si próprio; era sempre o primeiro a quem dirigia suas setas, o primeiro a quem odiava e desprezava.

Devo acrescentar aqui uma observação psicológica: embora saiba muito pouco sobre a vida do Lobo da Estepe, tenho bons motivos para acreditar que foi educado por pais e professores bondosos, porém severos e muito devotos, desses que fundamentam toda a educação no "quebrantamento da vontade". Tal destruição da personalidade e quebra do desejo não foram conseguidas com aquele aluno, de cuja prova saiu mais insensível e duro, orgulhoso e espiritual. Em vez de ter sua personalidade destruída, ele conseguiu aprender somente a odiar a si mesmo. Contra si próprio, contra esse objeto nobre e inocente, dirigiu a vida inteira toda a genialidade de sua fantasia, toda a força de seu poderoso pensamento. Foi precisamente através do Cristo e dos mártires que aprendeu a lançar contra si próprio, antes de mais nada, cada severidade, cada censura, cada maldade, cada ódio de que era capaz. No que respeitava aos outros, ao mundo em redor, sempre estava fazendo os esforços mais heroicos e sérios para amá-los, para ser justo com eles, para não o fazer sofrer, pois o "Amarás teu próximo!" estava tão entranhado em sua alma como o odiar-se a si mesmo; assim, toda a sua vida era um exemplo do impossível que é amar o próximo sem amor a si mesmo, de que o desprezo a si mesmo é em tudo semelhante ao acirrado egoísmo e produz, afinal, o mesmo desespero e horrível isolamento.

Mas já é tempo de deixar à parte os meus pensamentos e falar de fatos reais. O que primeiro descobri sobre Haller — parte por meio de minha espionagem, parte pelas observações de minha tia — dizia respeito ao seu sistema de vida. Era fácil perceber que se tratava de um pensador e de um homem chegado aos livros, que não exercia qualquer emprego ou ocupação.

Permanecia muito tempo deitado; não raro só se levantava por volta do meio-dia e passava em traje de dormir de seu quarto à sala de estar. Este cômodo, uma espaçosa e agradável mansarda com duas janelas, tinha agora uma aparência bem diversa daquela do tempo de outros hóspedes. Com o passar dos dias, tornava-se cada vez mais cheio de objetos. Das paredes pendiam estampas, desenhos, fotografias recortadas de revistas, que eram frequentemente substituídas por outras. Uma paisagem do Sul fotografias de uma cidade alemã do interior, seguramente a terra de Haller, lá estavam pregadas à parede; aquarelas coloridas e luminosas, que, viemos a saber mais tarde, ele próprio havia pintado. Em seguida, a fotografia de uma bela e jovem senhora, ou antes, de uma moça. Por algum tempo, um buda siamês esteve pregado à parede; depois foi substituído por uma reprodução da *Noite*, de Michelangelo, e mais tarde por um retrato do Mahatma Gandhi. Os livros não só enchiam as estantes como também se amontoavam em toda parte, sobre a mesa, a linda e antiga escrivaninha, sobre o divã, as cadeiras, em volta do chão; livros tendo entre as páginas marcas de papel, que constantemente mudavam de lugar; quantidades que aumentavam sempre, pois o homem não só os trazia em quantidade das bibliotecas, como também os recebia em grandes pacotes pelo correio. O ocupante daquele quarto devia ser um erudito; com isso concertavam bem o cheiro de cigarro que impregnava todo o ambiente e as pontas caídas no chão e cinzeiros espalhados por todo lado. Entretanto a maior parte dos livros não era de conteúdo científico, eram obras de poetas de todos os tempos e países. Permaneceram demoradamente sobre o divã, em que Haller passava o dia deitado, todos os seis grossos volumes de uma obra intitulada *Viagem de Sofia, de Memel à Saxônia*, aparecida nos fins do século XVIII. Uma edição das obras completas de

Goethe e outra das de Jean-Paul pareciam bastante manuseadas, bem como as de Novalis, Lessing, Jacobi e Lichtenberg. Alguns volumes de Dostoiévski achavam-se cheios de papeletas anotadas. Sobre a grande mesa, entre os muitos livros e revistas, havia frequentemente um vaso de flores; e sempre estava também por ali uma caixa de aquarelas coberta de pó, mais cinzeiros e — para não deixar sem menção — por toda parte garrafas de bebida. Uma delas, recoberta de palha, estava frequentemente cheia com vinho tinto italiano, que ele adquiria numa taberna das vizinhanças; às vezes, achava-se ali também uma garrafa de borgonha ou de málaga, e vi desaparecer em tempo bastante reduzido quase todo o conteúdo de um grande frasco de *kirsh*, que depois foi afastado para um canto da sala, onde se cobriu de poeira, sem que o restante chegasse ao fim.

Não quero justificar-me da espionagem, e devo confessar que, nos primeiros tempos, todos esses sinais de uma vida repleta de interesses espirituais, porém dissipada e desordenada ao mesmo tempo, me causavam horror e desconfiança. Não sou apenas um burguês que vive polidamente acostumado ao seu trabalho e com seu tempo bem dividido, mas ainda um abstêmio e uma pessoa que não fuma, daí aquelas garrafas no quarto de Haller me agradarem ainda menos do que o resto de sua desordem espiritual.

Tão irregular quanto ao sono e ao trabalho era o estranho em relação às suas comidas e bebidas. Havia muitos dias em que não saía e não tomava outra coisa senão o café da manhã; com frequência, minha tia encontrava como único resto de suas refeições uma casca de banana; outras vezes, entretanto, ia comer em restaurantes, algumas em lugares elegantes e caros, outras em tabernas dos subúrbios. Sua saúde não parecia muito boa; além do entorpecimento das pernas, que não raro lhe impedia de subir as escadas com facilidade, parecia sofrer de outros males, e certa vez disse, casualmente, que havia anos não digeria nem dormia bem. Atribuí isso, antes de mais nada, à bebida. Mais tarde, quando o acompanhei em algumas ocasiões aos seus pontos de bebida, presenciei a maneira como bebia rapidamente e com prazer, embora nem eu nem outrem o tivéssemos visto alguma vez inteiramente embriagado.

Nunca me esquecerei de nosso primeiro encontro pessoal. Conhecíamo-nos apenas como vizinhos de quarto da mesma hospedaria. Uma tarde, ao regressar do trabalho, encontrei, para minha surpresa, o Sr. Haller sentado no patamar da escada, entre o primeiro e o segundo andar; como estivesse sentado no último degrau da escada, afastou-se um pouco para o lado a fim de deixar-me passar. Perguntei-lhe se não se sentia bem e ofereci-me para acompanhá-lo até lá em cima.

Haller fitou-me e compreendi que o havia despertado de uma espécie de transe. Começou a sorrir lentamente, com aquele seu riso belo e triste que tantas vezes me enchera de amargura o coração, convidando-me em seguida a sentar-me ao seu lado. Agradeci e disse-lhe que não costumava sentar-me na escada por onde deviam passar os outros moradores.

— Ah! Sim — disse, e sorriu mais acentuadamente. — O senhor tem razão. Mas espere um momento, pois quero dizer-lhe por que tive de ficar aqui sentado um pouco.

E, assim dizendo, apontou o saguão do prédio, no primeiro andar, onde morava uma viúva. No pequeno espaço taqueado entre a escada, a janela e a porta de vidro havia, junto à parede, um grande armário de mogno, com ornatos de cobre, e diante dele, em suportes baixos, duas plantas em grandes vasos: uma azaleia e um pinheirinho. As plantas eram muito bonitas e estavam sempre muito bem-cuidadas e irrepreensivelmente limpas, o que também a mim já havia chamado a atenção.

— Veja o senhor — continuou Haller. — Esse pequeno saguão, com o pinheirinho, exala um odor tão prodigioso que não consigo passar por aqui sem me deter um pouco. A casa da senhora sua tia recende ao asseio e à limpeza mais extremados, porém o saguão do pinheirinho vive tão brilhantemente limpo, tão encerado, tão isento de pó que chega a resplandecer perturbadoramente. Sou levado a respirar a plenos pulmões. O senhor não sente esse odor? O odor da cera do assoalho, em que há reminiscências de terebintina juntamente com o cheiro do mogno, as folhas das plantas irrigadas e tudo mais, recorda um aroma de superlativo asseio burguês, de cuidado e precisão, de cumprimento das obrigações e fidelidade às mínimas coisas. Não sei quem mora naquele andar, mas por trás daquela porta de vidro deve existir um paraíso de limpeza e imaculada civilidade, de ordem e firme apego a pequenos hábitos e deveres.

Como eu me calasse, prosseguiu:

— Por favor, não creia que eu fale com ironia! Meu caro senhor, nada mais longe de minha intenção que zombar dessa ordem e desses pequenos hábitos. É bem verdade que vivo num mundo bem diverso desse, e talvez não esteja em condições de viver um dia que seja num quarto com tal pinheirinho. Mas, ainda que não passe de um velho e arredio Lobo da Estepe, também nasci de uma mulher, e minha mãe era uma senhora burguesa, que cultivava flores, cuidava dos quartos, escadas, móveis e cortinas, e se esforçava para dar, à sua casa e à sua vida, toda a ordem e o asseio possíveis. A essência da terebintina e o pinheirinho me fazem lembrar tudo isso, daí por que me sento de vez em quando a contemplar esse pequeno jardim da ordem e me alegro de que ainda existam coisas assim.

Quis levantar-se, mas, como lhe custasse algum trabalho, não objetou quando me dispus a ajudá-lo. Permaneci silencioso, mas deixando-me levar, como antes acontecera à minha tia, por um certo poder de sedução que o estranho homem às vezes costumava exercer. Lentamente, subimos a escada juntos, e ao chegarmos à porta de seu quarto, já com a chave na mão, olhou-me de novo nos olhos, muito amavelmente, dizendo:

— O senhor está vindo do trabalho? É verdade que disso nada entendo; vivo um tanto à margem, o senhor compreende... Mas creio que também lhe interessem os livros e coisas assim; sua tia me disse que o senhor completou seus estudos e que era um bom estudante de grego. Esta manhã encontrei uma frase em Novalis... Permita-me que lhe mostre? O senhor também há de gostar de vê-la.

Fez-me entrar no quarto, que recendia a forte cheiro de tabaco, tirou um livro de uma pilha deles, folheou-o à procura.

— Esta aqui também é boa, muito boa — disse. — Veja só esta frase: "O homem devia orgulhar-se da dor; toda dor é uma manifestação de nossa elevada estirpe." Magnífico! Oitenta anos antes de Nietzsche! Mas não é esta a passagem que eu pensava mostrar-lhe... Espere, aqui está. Ouça: "A maioria dos homens não quer nadar antes que o possa fazer." Não é engraçado? Naturalmente, não querem nadar. Nasceram para andar na terra e não para a água. E, naturalmente, não querem pensar: foram criados para viver e não para pensar! Isto mesmo! E quem pensa, quem faz do pensamento sua principal atividade, pode chegar muito longe com isso, mas sem dúvida estará confundindo a terra com a água, e um dia morrerá afogado.

Eu estava fascinado e cheio de interesse, e fiquei mais um pouco em sua companhia; desde então, passamos a falar-nos com frequência sempre que nos encontrávamos na escada ou na rua. Em tais ocasiões, a princípio sempre tinha a impressão de que ele me ironizava. Mas não era isso. Tinha por mim um verdadeiro respeito, da mesma forma como tinha pelo pinheirinho. Estava tão convicto e consciente de seu isolamento, de seu nadar sobre a água, do seu desarraigamento, que era capaz de entusiasmar-se realmente e sem o menor sarcasmo ao contemplar qualquer ato habitual da vida burguesa, como por exemplo a pontualidade com que eu ia para o escritório ou uma expressão que ouvira por acaso de algum mensageiro ou de um condutor de bonde. A princípio, isso me pareceu ridículo e exagerado, a afetação de um senhor ocioso, um sentimentalismo teatral. Mas cada vez mais pude ver que, na realidade, nosso pequeno mundo burguês era querido e admirado lá da distância de seu espaço vazio, da sua estranheza e da sua condição de lobo, como algo sólido e seguro, como algo distante e inatingível para ele, como o lar e a paz, aos quais nenhum caminho o poderia levar. Tirava o chapéu com todo o respeito diante de nossa empregada, uma excelente mulher, e quando minha tia alguma vez conversava com ele ou chamava sua atenção para a necessidade de qualquer reparo em sua roupa, algum botão que lhe caíra do casaco, ele a ouvia com atenciosa consideração e interesse, como se fizesse um esforço inaudito e desesperado para penetrar por uma fresta qualquer neste nosso pequeno mundo pacífico e ter ali sua morada, ainda que fosse por um momento apenas.

Já naquela primeira conversa sobre o pinheirinho, chamou-se a si próprio de Lobo da Estepe, e isso também me causou estranheza e perturbou um pouco. Que expressão aquela! Mas acabei por admiti-la não só por hábito, como também porque, em meu pensamento, só chamava o homem por aquele apelido de Lobo da Estepe, e ainda hoje não saberia dar-lhe nenhum outro mais apropriado do que esse. Um lobo da estepe, perdido em meio à gente, à cidade e à vida do rebanho — nenhum outro epíteto poderia definir com mais exatidão aquele ser, seu tímido isolamento, sua natureza selvagem, sua inquietude, seu doloroso anseio por um lar, sua falta absoluta de um lar.

Certa vez, pude observá-lo durante toda uma noite, num concerto sinfônico, onde, para minha surpresa, vi-o sentar-se num lugar próximo ao meu, sem que desse pela minha presença. Em primeiro lugar, executaram uma magnífica e bela composição de Händel, mas o Lobo da Estepe estava sentado, mergulhado em si mesmo, sem conexão alguma com a música, nem com as coisas que o cercavam. Distanciado, solitário e estranho, com um olhar frio porém cheio de preocupação, permanecia de olhos baixos. Logo veio outra peça, uma pequena sinfonia de Friedemann Bach, e me surpreendi ao ver como logo aos primeiros compassos o meu estranho companheiro começou a sorrir e a entregar-se no fundo de si mesmo, parecendo, durante mais de dez minutos, tão felizmente extasiado e perdido em um sonho agradável que passei a prestar mais atenção a ele do que à música. Quando a peça estava terminando, despertou do êxtase, sentou-se mais corretamente, fez menção de levantar-se e parecia querer retirar-se, mas permaneceu ainda sentado e ouviu a última peça, que eram as *Variações* de Reger, música que muitos consideraram um tanto longa e fastidiosa. E também o Lobo da Estepe, que a princípio ouvia atentamente e de bom grado, logo distraiu-se, meteu as mãos nos bolsos e mergulhou de novo em si mesmo, mas desta vez não parecia feliz e sonhador, antes triste e insatisfeito; o semblante voltou a ser distante, pálido e apagado. Parecia velho, enfermo e descontente.

Depois do concerto, voltei a encontrá-lo na rua e caminhei atrás dele; escondido em seu casacão, caminhava como cansado e sem vontade em direção a nossa casa, mas deteve-se antes numa pequena e velha hospedaria, consultou indeciso o relógio e acabou por entrar. Cedi a um capricho momentâneo e entrei também. Sentara-se a uma mesa modestíssima, e a hospedeira e as moças que serviam cumprimentaram-no como a um dos clientes habituais, no que eu o cumprimentei também e me sentei a seu lado. Lá ficamos uma hora, enquanto bebi alguns copos de água mineral e ele emborcou meio litro de vinho tinto e logo mais outro quarto de litro. Disse-lhe que havia estado no concerto, mas ele não fez caso. Leu o rótulo da garrafa de minha água mineral e perguntou-me se não queria beber vinho, insistindo no convite. Quando soube que eu não bebia qualquer espécie de vinho, voltou a olhar-me com aquela sua expressão de abandono e disse:

— Sim, o senhor tem razão. Eu também fui abstêmio durante muitos anos e também jejuei por muito tempo, mas agora estou de novo sob o signo de Aquário, um signo escuro e úmido.

E quando eu, pilheriando, tomei a alusão ao pé da letra e fiz-lhe notar como me parecia inverossímil que precisamente ele acreditasse em astrologia, aí então voltou a empregar seu tom cortês que tanto me desagradava, dizendo:

— O senhor está certo; lamentavelmente, também nessa ciência eu não creio.

Levantei-me e despedi-me; ele voltou para casa tarde da noite, mas seu passo era o de hábito, e, como sempre, não se deitou logo em seguida (como seu vizinho de quarto, era-me fácil ouvi-lo), ficando seguramente por uma hora com a luz acesa.

Também nunca me esqueci de uma outra noite. Eu estava sozinho em casa, minha tia havia saído, e chamaram à porta. Quando abri, apareceu no umbral uma senhora jovem e bonita, e ao perguntar-me pelo Sr. Haller logo a reconheci: era a da fotografia que estava em seu quarto. Indiquei-lhe a porta e retirei-me. Ela permaneceu lá em cima um pouco, mas logo depois ouvi os dois descerem as escadas e saírem, animados e alegres, entretendo uma conversação jocosa. Eu estava muito admirado de que o taciturno tivesse uma amante tão jovem, tão elegante e bela, e todas as minhas suposições sobre ele e sua vida voltaram a cobrir-se de dúvidas. Entretanto, cerca de uma hora mais tarde, voltou de novo para casa, sozinho, com seu caminhar pesado e triste, subiu dolorosamente a escada e ficou andando horas e horas em seu quarto, com passo leve e furtivo, exatamente como um lobo em sua jaula. Durante toda a noite até quase de manhã havia luz em seu quarto.

Nada sei sobre suas relações, e desejo acrescentar apenas que voltei a vê-lo ainda uma vez mais com aquela mulher, numa rua da cidade. Iam de braço, e ele parecia feliz; e surpreendi-me de ver quanta graça e até mesmo infantilidade podia ocasionalmente expressar seu semblante, de hábito preocupado e solitário; compreendi a mulher e compreendi também o interesse que minha tia demonstrava por esse homem. Mas, também naquele dia, regressou à noite, triste e de maneira lastimosa. Encontrei-o à porta da casa, trazendo embaixo do sobretudo uma garrafa de vinho, e com ela passou até além da meia-noite sentado em seu tugúrio. Causou-me pena. Que vida desconsolada, perdida e inútil a que levava!

Bem, já falamos bastante. Não são necessários mais informes nem descrições para demonstrar que o Lobo da Estepe levava uma vida de suicida. Contudo, não creio que ele tenha dado fim à vida, mesmo depois que, inesperadamente e sem se despedir, mas após pagar o que devia, abandonou nossa cidade e desapareceu. Nunca mais tivemos notícias dele e conservamos ainda algumas cartas que lhe chegaram após sua partida. Nada mais deixou senão o manuscrito que escreveu durante sua permanência, o qual me dedicou em poucas linhas com a observação de que eu poderia dele dispor da maneira que melhor entendesse.

Não me foi possível comprovar quanto de veracidade existe nos fatos de que trata o manuscrito de Haller. Não duvido de que sejam fictícios em sua maior parte, não no sentido de uma espontânea invenção, mas no sentido de uma procura de exprimir-se, de expressar uma anterior atividade anímica, profundamente vivida, com a roupagem de acontecimentos verossímeis. Os acontecimentos, em parte fantásticos, da ficção de Haller situam-se provavelmente nos últimos tempos de sua permanência conosco, e não duvido de que haja neles boa dose de fatos reais exteriores. Naquele tempo, nosso hóspede tinha de fato uma conduta e um aspecto diferentes, permanecia por muito tempo fora de casa, às vezes durante toda a noite, e não tocava nos livros. As poucas vezes em que o encontrei pareceu-me surpreendentemente vivo e rejuvenescido, e às vezes até mesmo feliz.

É verdade que logo se lhe seguia uma nova depressão, que o prostrava o dia todo na cama, sem querer comer; naquele tempo, teve também uma discussão, extraordinariamente violenta e até mesmo brutal, com a amante, que voltara a aparecer — discussão que repercutiu por toda a casa, e de que Haller, no dia seguinte, pediu desculpas a minha tia.

Não, estou seguro de que não terá posto fim à vida. Continua vivendo; em algum lugar estará subindo e descendo escadas de casas estranhas com suas pernas cansadas, estará olhando fixamente em qualquer parte um assoalho encerado e um pinheirinho bem-cuidado, estará sentado durante o dia nas bibliotecas e, de noite, nas tabernas ou jazerá estendido sobre um sofá alugado, ouvindo viver por trás das janelas o mundo e os homens, dos quais se sente excluído, mas não se mata porque um resquício de fé lhe diz que esse sofrimento, essa triste dor terá de ser sorvida até o fim em seu coração e que desse sofrimento é que lhe virá a morte. Penso muito nele. Não me tornou a vida mais suave, não teve o dom de criar e aumentar em mim a fortaleza e a alegria, oh!, não, muito ao contrário! Contudo, não sou ele, nem levo seu tipo de vida, mas a minha, uma vida medíocre e burguesa, porém segura e cheia de obrigações. E assim podemos pensar na dele, minha tia e eu, com calma e amizade, ela que saberia falar mais a seu respeito do que eu, porém tudo o que sabe permanece oculto em seu bondoso coração.

No que diz respeito as anotações de Haller, essas fantasias maravilhosas, às vezes doentias, às vezes cheias de profundidade, devo dizer que, se essas páginas tivessem caído às minhas mãos por acaso e eu não lhes conhecesse o autor, certamente que as teria posto fora, decepcionado. Mas, devido ao meu conhecimento com Haller, tornou-se-me possível compreendê-las em parte e até mesmo aprová-las. Hesitaria em transmiti-las a outrem se nelas visse apenas as fantasias mórbidas de um pobre e solitário doente do espírito. Mas nelas vejo algo mais: um documento da época, pois a enfermidade anímica de Haller é, hoje o percebo, não o capricho de um solitário, mas a enfermidade do próprio tempo, a neurose daquela geração a que pertencia Haller, neurose que não atacava em absoluto os débeis e insignificantes, mas precisamente os fortes, os mais espirituais, os mais fortes.

Essas anotações — e é indiferente saber se nelas existe uma grande ou pequena dose de realidade — são uma procura não de vencer a enfermidade da época com rodeios ou paliativos, mas um intento de converter a própria doença em objeto de interpretação. Significam, literalmente, uma jornada pelo inferno, uma caminhada algumas vezes angustiosa, outras cheia de entusiasmo através do caos de um mundo anímico tenebroso, caminho percorrido com a vontade de atravessar o inferno, de oferecer a face ao caos, de padecer o mal até o fim.

Uma palavra de Haller deu-me a chave dessa compreensão. Disse-me ele, certa vez, quando falávamos a propósito das chamadas crueldades da Idade Média:

— Tais horrores na verdade não existiram. Um homem da Idade Média condenaria totalmente nosso estilo de vida atual como algo muito mais cruel, terrível e bárbaro. Cada época, cada cultura, cada costume e tradição têm seu próprio estilo, têm sua delicadeza e sua severidade, suas belezas e crueldades, aceitam certos sofrimentos como naturais, sofrem pacientemente certas desgraças. O verdadeiro sofrimento, o verdadeiro inferno da vida humana reside ali onde se chocam duas culturas ou duas religiões. Um homem da Antiguidade, que tivesse de viver na Idade Média, haveria de sentir-se tão afogado quanto um selvagem se sentiria em nossa civilização. Há momentos em que toda uma geração cai entre dois estilos de vida, e toda evidência, toda moral, toda salvação e inocência ficam perdidas para ela. Naturalmente, isso não atinge a todos da mesma maneira. Uma natureza como a de Nietzsche teve de sofrer a miséria da época atual há mais de uma geração antes da nossa; tudo quanto teve de suportar sozinho e incompreendido é o mesmo de que hoje padecem milhares de seres humanos.

Lendo as notas de Haller, meditei muitas vezes nessas palavras. Haller pertence àqueles que se comprimem entre duas épocas, que vivem à margem de toda segurança e inocência, àqueles cujo destino é sofrer toda a incerteza do destino humano agravada como um tormento e um inferno pessoais.

Nisso, segundo me parece, consiste o sentido que possam ter para nós suas anotações, e por isso me decidi a publicá-las. Quanto ao mais, não quero defendê-las nem condená-las. Que o leitor o faça segundo sua própria consciência!

Anotações de Harry Haller

Só para loucos

O dia passara como normalmente passam os dias: eu o havia desperdiçado, dissipado suavemente, com minha primitiva e arredia maneira de ser; trabalhara algumas horas a compulsar velhos livros e sentira dores durante duas horas seguidas, como os velhos costumam sentir; engolira uns pós e me alegrara porque as dores se haviam deixado enganar; metera-me num banho quente e absorvera o agradável calor; recebera três vezes o correio e correra a vista pelas cartas e pelos impressos sem importância; fizera meus exercícios respiratórios, mas achara conveniente transferir para outro dia os exercícios mentais; dera um passeio de uma hora e vira, recortadas contra o céu, delicadas e belas amostras de cirros preciosos. Agradável, assim como ler os livros antigos ou demorar-me no banho quente, mas, afinal de contas, não fora a bem dizer um dia encantador, nem brilhante, nem feliz, nem plácido, mas tão somente um desses dias como desde algum tempo costumam ser os normais de minha vida: moderadamente agradáveis, totalmente suportáveis, toleráveis, tépidos dias de um velho e descontente senhor, dias sem dores particulares, sem singulares preocupações, sem aflições especiais, sem desesperos; dias em que até mesmo a pergunta de que se não seria o momento de seguir o exemplo de Adalbert Stifter e degolar-se com a navalha de barbear era meditada tranquilamente sem emoção, sem qualquer sentimento de angústia.

Quem havia passado pelos outros dias, aqueles terríveis de ataque de gota, das dores malignas por detrás dos globos oculares, transformando a alegria de ver e de ouvir num tormento alucinante sob os efeitos da enlouquecedora enxaqueca, ou aqueles dias de morte da alma, perversos de vazio interior e desespero, nos quais, em meio à terra destroçada e ressequida pelas sociedades anônimas, o mundo dos homens e da chamada cultura ri-se de nós a cada passo com seu enganoso e vulgar esplendor de feira e nos atormenta com uma persistência emética, e quando tudo está concentrado e levado ao clímax do insuportável dentro de nosso próprio ser enfermo — quem já havia passado por aqueles dias infernais mostrava-se bem contente com estes de agora, normais e vulgares, em que se sentava agradecido junto à estufa a ler os jornais, verificando satisfeito que não estalara nenhuma nova guerra, que não surgira nenhuma nova ditadura, que não se descobrira nenhum nauseante escândalo no mundo da política e das finanças, e podia planger agradecido as cordas de sua empoeirada lira para entoar um salmo de graças em tom moderado, suportavelmente alegre, quase regozijante, com o qual aborrecerá seu calado e tranquilo semideus, um tanto anestesiado pelo brometo, e no morno ar desse contente aborrecimento, dessa ausência de dor tão digna de nota, o semideus solitário e o semi-homem um tanto encanecido que cantava o salmo incolor pareciam gêmeos.

Muito se teria de dizer sobre esse contentamento e essa ausência de dor, sobre esses dias suportáveis e submissos, nos quais nem o sofrimento nem o prazer se manifestam, em que tudo apenas murmura e parece andar na ponta dos pés. Mas o pior de tudo é que tal contentamento é exatamente o que não posso suportar. Após um curto instante parece-me odioso e repugnante. Então, desesperado, tenho de escapar a outras regiões, se possível a caminho do prazer, se não, a caminho da dor. Quando não encontro nem um nem outro e respiro a morna mediocridade dos dias chamados bons, sinto-me tão dolorido e miserável em minha alma infantil que atiro a enferrujada lira do agradecimento à cara satisfeita do sonolento deus, preferindo sentir em mim uma verdadeira dor infernal a essa saudável temperatura de um quarto aquecido. Arde então em mim um selvagem anseio de sensações fortes, um ardor pela vida desregrada, baixa, normal e estéril, bem como um desejo louco de destruir algo, seja um armazém ou uma catedral, ou a mim mesmo, de cometer loucuras temerárias, de arrancar a cabeleira a alguns ídolos venerandos, de entregar a um casal de estudantes rebeldes os ansiados bilhetes de passagem para Hamburgo, de violar uma jovem ou de torcer o pescoço a algum defensor da ordem e da lei. Pois o que eu odiava mais profundamente e maldizia mais era aquela satisfação, aquela saúde, aquela comodidade, esse otimismo bem-cuidado dos cidadãos, essa educação adiposa e saudável do medíocre, do normal, do acomodado.

Nesse estado de espírito, portanto, havia atravessado mais um dia vulgar e tolerável, quando chegou a noite. Não o iria encerrar, entretanto, da maneira normal e conveniente a um homem um tanto enfermo que devia ir para a cama tentado por uma botija de água quente. Em vez disso, calcei os sapatos um tanto mal-humorado, descontente e insatisfeito com o parco trabalho que fizera, e saí para as ruas escuras e nevoentas para beber no Elmo de Aço o que de acordo com antiga convenção os homens chamavam de "um copinho de vinho".

Assim, desci eu os degraus de minha mansarda, essa escura escada dos estranhos à casa, essa escada inteiramente burguesa, encerada e limpa, de uma casa de respeito, de três famílias decentíssimas, em cujo sótão eu vivia. Não sei por que motivo eu, o Lobo da Estepe, o sem-pátria e solitário odiador do mundo burguês, sempre morei em verdadeiras casas burguesas, talvez por um velho sentimentalismo de minha parte. Não vivia nem em palácios nem em casas proletárias, mas precisamente naqueles ninhos da pequena burguesia, decentíssimos, cheios de tédio e cuidadosamente conservados, onde há sempre um cheiro de terebintina e sabão e onde todos se sobressaltam quando alguém deixa a porta bater com força ou entra com sapatos sujos de lama. O amor por essa atmosfera vinda, sem dúvida, de minha infância e meu secreto anseio por algo assim como um lar sempre me levaram desesperadamente por esses velhos e estúpidos caminhos. Além disso, agrada-me o contraste que apresenta minha vida, esta minha vida solitária, sem amor, gasta e inteiramente desordenada, em relação ao ambiente familiar e burguês. Agrada-me respirar na escada este cheiro de calma, de ordem, de limpeza, de decência e de domesticidade, o que, apesar de meu desprezo pela burguesia, tem sempre algo de comovente para mim, e me apraz também atravessar o umbral do meu quarto, em cujo interior tudo isso se acaba, onde entre os montões de livros aparecem pontas de cigarro e garrafas de vinho vazias, onde tudo está desordenado e negligente, e onde tudo, livros, manuscritos, pensamentos, está marcado e embebido pela miséria do solitário, pela problemática do ser humano pelo anseio de dar um novo sentido a uma vida humana que já perde seu rumo.

E então passei pelo pinheirinho. No segundo andar deste prédio, a escada conduz à entrada de um apartamento que é, sem dúvida, ainda mais limpo e mais asseado que os demais, pois esse pequeno saguão resplandece de um cuidado sobre-humano e ergue-se como se fora um brilhante templo da ordem. Sobre o assoalho encerado, onde se teme pisar de tão brilhante, estão colocados dois elegantes tamboretes e sobre cada um deles um vaso de plantas; num cresce uma azaleia e no outro um pinheirinho, uma árvore anã, magnífica, sadia e vigorosa, da maior perfeição, cujas últimas agulhas no extremo dos ramos brilham de frescor e limpeza. Às vezes, quando não estou sendo observado, uso esse lugar como um templo. Sento-me num degrau da escada acima do pinheirinho e, descansando um pouco, as mãos juntas, contemplo esse pequeno jardim da ordem e deixo que sua aparência enternecedora e sua solidão um tanto ridícula me comovam até às profundezas da alma. Fico imaginando que além daquele saguão, sob a sagrada sombra, por assim dizer, do pinheirinho, existe um lar cheio de móveis de mogno lustrosos e uma vida saudável e plena de respeitabilidade, com obrigações de levantar cedo, de respeito aos deveres, de comedidas mas alegres festas familiares, de ir à igreja aos domingos e de ir cedo para a cama.

Com pretensa alegria, percorri as ruas cujo asfalto estava molhado pela chuva; as luzes dos postes, chorosas e veladas, através da úmida e fria obscuridade, projetavam no chão molhado luminosos reflexos de luz como num espelho. Nesse momento desfilaram em minha memória os anos de minha juventude: como admirava, então, aquelas enevoadas tardes de outono ou de inverno, como respirava, ansioso e embevecido, a sensação de isolamento e de melancolia, quando, noite adentro, enrolado em meu capote, atravessava as chuvas e tempestades de uma natureza hostil e revoltada, e caminhava errante, pois naquele tempo já era só, mas ia repleto de profunda satisfação e de versos, que mais tarde escrevia, em meu quarto, à luz de uma vela, sentado à beira da cama! Agora tudo aquilo havia passado, sorvido fora aquele cálice que já não voltaria a encher-se para mim. Havia razão para lamentar? Nada há que lamentar. O passado não me causava lástima. Lastimáveis eram o agora e o presente, todas essas horas e dias incontáveis que eu perdia, que eu vivia em sofrimento, que não me traziam nenhuma dádiva nem a menor comoção.

Mas, graças a Deus, havia também exceções, havia também, às vezes, pelo menos horas que me traziam grandes comoções, grandes dádivas, que me transportavam, o extraviado, de volta ao vivo coração do mundo. Triste, embora excitado intimamente, procurei lembrar-me do último acontecimento dessa natureza. Fora um concerto; executavam música antiga e excelente, e então, entre dois compassos do piano, abriu-se para mim a porta do além, atravessei o céu e vi Deus em seu trabalho, sofri dores bem-aventuradas, deixei tombar minhas defesas e passei a não temer mais nada no mundo, a assentir tudo e a tudo entreguei meu coração. Não durou muito, talvez um quarto de hora; mas, de novo, me voltou aquela sensação em sonhos, e desde então, através dos dias tristes, consigo captar um reflexo dela de quando em vez, ora claramente, por um instante, como dourada mancha divina caminhando através de minha vida, quase sempre impregnada de pó e de lodo, ora voltando a brilhar de súbito com raios de ouro, dando-me a impressão de que jamais a perderia, para logo ocultar-se de repente.

Uma noite, isso me aconteceu quando, insone, comecei a declamar versos, versos muito mais belos e estranhos do que jamais teria sonhado escrever, versos que de manhã já havia esquecido, mas que permaneciam ocultos dentro de mim como um duro cerne sob a casca quebradiça. Outra vez, ocorreu-me durante a leitura de um poeta, ou meditando um pensamento de Descartes, de Pascal; e, numa outra, vi brilhar de novo a trilha dourada que conduzia ao céu, quando me encontrava na presença de minha amada. Ah, é difícil achar essa trilha de Deus em meio à vida que levamos, na embrutecida monotonia de uma era de cegueira espiritual, com sua arquitetura, seus negócios, sua política e seus homens! Como não haveria de ser eu um lobo da estepe e um mísero eremita em meio a um mundo cujos objetivos não compartilho, cuja alegria não me diz respeito! Não consigo permanecer por muito tempo num teatro ou num cinema. Mal posso ler um jornal, raramente leio um livro moderno. Não sei que prazeres e alegrias levam as pessoas a trens e hotéis superlotados, aos cafés abarrotados, com sua música sufocante e vulgar, aos bares e espetáculos de variedades, às feiras mundiais, aos corsos, aos centros culturais e às grandes praças de esportes. Não entendo nem compartilho dessas alegrias, embora estejam ao meu alcance, pelas quais milhares de outros tanto anseiam. Por outro lado, o que se passa comigo nos meus raros momentos de júbilo, aquilo que para mim é felicidade e vida e êxtase e exaltação, procura-o o mundo em geral nas obras de ficção; na vida parece-lhe absurdo. E, de fato, se o mundo tem razão, se essa música dos cafés, essas diversões em massa e esses tipos americanizados que se satisfazem com tão pouco têm razão, então estou errado, estou louco. Sou, na verdade, o Lobo da Estepe, como me digo tantas vezes — aquele animal extraviado que não encontra abrigo nem ar nem alimento num mundo que lhe é estranho e incompreensível.

Com esses pensamentos costumeiros fui andando pela rua molhada de um dos mais tranquilos e antigos recantos da cidade. Do lado oposto destacava-se na escuridão um velho muro de pedra que sempre tive prazer em olhar. Velho e sereno, situava-se entre uma igrejinha e um antigo hospital. Frequentemente, durante o dia, era em sua áspera superfície que meus olhos descansavam. Havia poucos locais assim tão quietos e aprazíveis no centro da cidade, onde o usual era que em cada canto houvesse algum comerciante, ou advogado, ou charlatão, ou médico, ou barbeiro, ou calista apregoando seu nome. Desta vez, também, o muro era pacífico e sereno; entretanto alguma coisa nele havia mudado. Fiquei surpreso ao ver uma pequena e delicada porta ogival aberta em meio ao muro, pois não conseguia lembrar-me se aquela entrada já existia ali ou se tinha sido recentemente feita. Pareceu-me antiga, antiquíssima sem dúvida; possivelmente, aquela porta fechada, com suas folhas de madeira escura, desde há alguns séculos, desse para o interior de um pátio de convento. É possível que já tivesse visto aquela porta centenas de vezes e nunca reparasse nela; talvez a tivessem pintado recentemente e isso me atraísse agora a atenção para ela. Fiquei parado algum tempo, olhando para o outro lado da rua, mas sem atravessar, pois a rua estava cheia de lama; permaneci na calçada, olhando simplesmente para o outro lado. Escurecera bastante, e me pareceu que em torno da porta se desenhava uma auréola ou guirlanda multicor. E, quando me esforcei para examiná-la, distingui sobre o portal um escudo luminoso, em que me pareceu haver alguma coisa escrita. Como não conseguisse ler do outro lado, atravessei a rua, apesar das poças d'água. Então vi sobre o portal, desenhado sobre o esverdeado sujo da parede, um retângulo esbranquiçado, sobre o qual corriam letras maiúsculas, que apareciam e desapareciam com grande rapidez. Também já aproveitaram este velho muro, pensei, para anúncios luminosos! Enquanto isso, consegui decifrar algumas das fugidias palavras; eram difíceis de ler e davam lugar a muitas confusões por virem as letras separadas por espaços desiguais, e se acenderem muito débeis para logo se apagar. A pessoa que quisesse fazer propaganda com aquele anúncio não devia ser muito inteligente; seria algum Lobo da Estepe, algum pobre-diabo. Por que deixar aquelas letras correrem, naquele muro, situado numa ruela escura da parte velha da cidade, àquela hora, com um tempo tão chuvoso, quando ninguém passava por ali, e por que eram letras tão extravagantes, tão fugazes, trêmulas e ilegíveis? Mas, espere!, por fim eu conseguia ler, uma após outra, várias palavras que diziam:

TEATRO MÁGICO
ENTRADA SÓ PARA OS RAROS
SÓ PARA OS RAROS

Tentei abrir a porta, mas a velha e pesada aldrava não cedia. O letreiro luminoso se apagara de repente, triste ao comprovar sua inutilidade. Dei alguns passos atrás, acabei pisando na lama e não consegui ver mais as letras; o anúncio desaparecera por completo, e por muito tempo permaneci de pé, em meio à poça d'água, mas esperei em vão.

Quando, então, desisti e regressei ao passeio, vi, refletidas sobre o asfalto brilhante, umas poucas palavras luminosas. Li:

SÓ... PA... RA... LOU... COS!

Tinha os pés molhados e estava tremendo; não obstante, eu me detive algum tempo a esperar. Nada mais. E enquanto esperava, pensando em como as letras haviam dançado tão belas no muro úmido e no negro asfalto luzidio, veio-me à memória um trecho dos meus últimos pensamentos: a similaridade que havia entre o letreiro e a trilha dourada que, de repente, se tornava distante e inencontrável.

Sentia frio e continuei a andar, sonhando com a trilha dourada, ansiando pela porta daquele teatro mágico só permitido aos loucos. Havia chegado, entretanto, à praça principal, onde não faltavam distrações noturnas; a cada passo havia cartazes e pendiam letreiros anunciando as atrações — Orquestra feminina, Variedades, Cinema, Dancing —, mas nada daquilo era para mim, tudo aquilo era para os normais, as pessoas comuns, todos aqueles que eu via entrarem pelas portas em tropel. Todavia, minha tristeza se desvanecera um pouco, pois fora saudada com um aceno do outro mundo: algumas letras saltitantes haviam tocado minha alma e plangido suas cordas secretas; um resplendor da trilha dourada se fizera novamente visível.

Busquei a pequena e antiga taverna onde nada havia mudado, desde minha primeira visita a esta cidade havia cerca de 25 anos; a dona da casa ainda era a mesma e muitos dos fregueses de agora deviam ser aqueles que ali se sentavam naquela época, diante dos mesmos copos. Eu entrara na modesta taverna como um refúgio. Mas era só um refúgio; como no patamar do pinheirinho, encontrava também ali não a pátria ou a comunidade, mas apenas um tranquilo posto de observação diante de um cenário em que pessoas estranhas representavam estranhas comédias. Mas aquele tranquilo observatório encerrava outra vantagem; não havia ali multidão, nem gritos, nem música, mas somente alguns cidadãos sentados diante de toscas mesas de madeira (sem mármore, sem aplicações de metal, sem coberturas de feltro!), e, diante de cada um, uma jarra de bom vinho. Talvez aqueles poucos fregueses, os quais eu conhecia de vista, não passassem de verdadeiros filisteus e tivessem em casa altares domésticos erigidos aos tímidos ídolos da resignação, ou talvez fossem uns pobres-diabos sem rumo como eu, pacíficos bebedores, cheios de pensamentos sobre a falência dos ideais, uns lobos da estepe iguais a mim; não sei. A cada um levava-o até ali uma nostalgia, uma decepção, a necessidade de um substitutivo: o casado buscava a atmosfera de seu tempo de solteiro, o velho funcionário ia lembrar-se de seu tempo de estudante. Todos estavam silenciosos e eram pessoas que, como eu, estavam melhor sentadas diante de um vinho da Alsácia do que diante de uma orquestra feminina. Ali permaneceria ancorado, ali haveria de ficar por uma hora ou duas. Mal bebi o primeiro gole de vinho, lembrei-me de que não havia comido nada o dia inteiro após o café da manhã.

É incrível o que um homem pode tragar! Estive lendo um jornal durante uns dez minutos; permiti que através dos olhos entrasse em mim o espírito de um homem irresponsável, que mastiga e rumina palavras dos outros e as devolve depois, sem digerir. Desse vômito absorvi uma coluna inteira. Depois devorei um bom pedaço de fígado cortado ao corpo de um novilho morto. Não é mesmo incrível?! O melhor foi o vinho. Não me agrada o vinho forte e travoso, para o uso diário, mesmo desses afamados, que têm um sabor especial. Prefiro os vinhos simples, puros, mais leves e modestos, sem nome conhecido; desses pode-se tomar boa quantidade e têm um grato sabor a campo, a terra, a céu e a bosque. Um copo de vinho da Alsácia e um pedaço de pão é o melhor de todos os alimentos. Mas àquela altura já havia engolido minha porção de fígado (um prazer pouco comum para mim, que raramente como carne) e o segundo copo fora posto à minha frente. Também me pareceu extraordinário que em alguma parte dos verdes vales homens fortes e trabalhadores houvessem plantado videiras e depois pisado as uvas para, mais tarde, aqui e ali, em lugares distantes, alguns quietos e desiludidos cidadãos e um desesperado Lobo da Estepe pudessem extrair de seus copos um pouco de confiança e de alegria.

A mim, pelo menos, parecia extraordinário! Era bom, ajudava a despertar o humor. As palavras pastosas do jornal arrancaram-me uma gargalhada intempestiva e, de súbito, lembrei-me da esquecida melodia do órgão, que ascendia em mim como uma pequena bolha de sabão, refulgente, refletindo policrômica e diminuta o mundo inteiro, para logo rebentar suavemente. Se fosse possível àquela melodia celestial arraigar-se secretamente em minha alma e um dia florescer com todos os seus alegres matizes, é que nem tudo estava perdido! E embora eu fosse um animal sem rumo, incapaz de compreender o mundo circundante, não faltava um sentido à minha vida insensata; algo ecoava em mim, em meu cérebro estavam amontoadas mil imagens: um tropel de anjos de Giotto na abóbada azul de uma igreja em Pádua, e junto deles Hamlet e a coroada Ofélia, bela parábola de todas as tristezas e incompreensões do mundo; lá estava num balão ardente o aeronauta Gianozzo, que soprava uma corneta; Attila Schmelzle com seu chapéu novo na mão, o Borobudur arrojando aos ares sua montanha de esculturas. E embora todas aquelas figuras formosas vivessem igualmente em mil outros corações, havia umas dez mil outras imagens e harmonias desconhecidas, cuja vivência só estava em mim, que outros olhos não veriam, nem as escutariam outros ouvidos senão os meus. O velho muro do hospital, com sua cor verde-

-escura, suas imperfeições e rachaduras, no qual milhares de afrescos podiam ser adivinhados, quem lhe dava atenção, quem contemplava sua alma, quem o amava, quem sentia o encanto de suas cores delicadas e moribundas? Os velhos livros dos monges, iluminados por delicadas miniaturas, e os livros dos poetas alemães de há duzentos ou cem anos, esquecidos pelo seu próprio povo, livros manchados e carcomidos pela umidade, e os impressos e manuscritos dos velhos compositores, as partituras vigorosas e amarelecidas, com seus imobilizados tons de sonho — quem escutava suas vozes espirituais, irônicas e nostálgicas? Quem tinha o coração repleto de seu encanto num mundo a elas estranho? Quem pensava até hoje naquele cipreste pequenino e tenaz que se erguia no alto da montanha de Gubbio, que, embora partido e arrancado por uma avalanche de pedras, continuava entretanto a viver e havia levantado com suas últimas forças uma nova copa bisonha? Quem fizera justiça à diligente dona de casa do primeiro andar e ao seu luzidio pinheirinho? Quem lia à noite, sobre o Reno, a inscrição que as nuvens formavam na névoa? O Lobo da Estepe. E quem buscava entre os escombros da vida seu significado esvoaçante, quem sofria com a aparente insensatez, quem vivia com o que parecia louco, quem esperava em segredo no último e confuso abismo a revelação de Deus e sua vinda?

Afastei o copo de vinho quando a dona da casa veio enchê-lo de novo, e levantei-me. Não necessitava mais de vinho. A trilha dourada voltara a refulgir, eu havia recordado o eterno: Mozart, as estrelas. Podia voltar a respirar por uma hora, podia existir, não necessitava sofrer tormentos, nem temores, nem vergonhas.

Quando saí à rua, que se tornara silenciosa, as gotas da chuva, açoitadas pelo vento frio, davam de encontro às lâmpadas em cintilações cristalinas. Aonde ir? Se naquele momento eu pudesse concretizar por encantamento um só desejo, gostaria de ver-me num gracioso salão estilo Luís XVI, onde um par de bons músicos estaria tocando para mim duas ou três peças de Händel e de Mozart. Tal era minha disposição naquele instante, e teria degustado a música como os deuses saboreiam o néctar. Oh! se tivesse agora um amigo, um amigo que vivesse nalguma água-furtada, sonhando à luz de uma vela, com o violino ao alcance da mão! Como o iria surpreender em sua paz noturna, após subir silencioso pela escada em espiral, e lá haveríamos de passar algumas horas espirituais a conversar sobre música! Em dias que já se foram, saboreei com frequência esse tipo de felicidade, mas também ela se distanciara de mim com o passar do tempo; entre o então e o agora muitos anos emurchecidos se interpunham.

Iniciando lentamente o regresso a casa, ergui a gola do casaco e bati com a bengala contra o úmido pavimento. Por mais que me demorasse na rua, acabava sempre por regressar ao meu refúgio, ao meu falso lar, que eu não amava e do qual, no entanto, não podia prescindir, pois já se fora para mim o tempo em que podia passar na rua toda uma noite chuvosa de inverno. Agora tudo o que eu desejava era não deixar desvanecer em mim a animação do instante, nem pela ação da chuva, da gota que me afligia ou do sentimento que me causasse o pinheirinho. Embora não tivesse a música de câmara nem encontrasse o solitário amigo violinista, ressoava em meu interior aquela graciosa melodia e eu próprio podia executá-la para mim, trauteando-a ao rítmico compasso de minha respiração. Continuei meu caminho a meditar. Sim, eu podia arranjar-me mesmo sem música de câmara e sem amigo, e era ridículo consumir-me no impotente desejo de calor humano. Solidão é independência, com ela eu sempre sonhara e a obtivera afinal, após tantos anos. Era fria, oh! sim!, mas também era silenciosa e grande como o frio espaço silente em que giram as estrelas.

De um salão de dança, diante do qual passei, me veio o ritmo de uma vívida música de jazz, como o odor selvagem e quente da carne crua. Detive-me um momento; aquela espécie de música sempre tivera para mim um secreto encanto, apesar do muito que a detestava. O jazz me repugnava, mas me era cem vezes mais agradável do que toda a música acadêmica de hoje, submergia-me profundamente no mundo dos impulsos com seu alegre e rude barbarismo e respirava uma ingênua e honrada honestidade.

Permaneci um momento no faro, a sentir o cheiro da música sangrenta e aguda, a olfatar malignamente cobiçoso a atmosfera daquela sala. Parte da música, a lírica, era pegajosa, melíflua e cheia de sentimentalismo; a outra, selvagem, extravagante, cheia de força; no entanto, ambas as partes caminhavam juntas, ingênua e amistosamente, e formavam um todo. Era música decadente. Devia haver música assim na Roma dos últimos césares. Naturalmente, era uma baboseira, comparada com Bach e Mozart e a música dos grandes mestres; mas assim também era toda nossa arte, todo nosso pensamento, toda nossa aparência de cultura, quando comparada com a verdadeira cultura. E essa música tinha a vantagem de possuir uma grande sinceridade, de ser sinceramente negroide, cheia de um humor alegre e infantil. Tinha algo dos negros e algo dos americanos, que a nós, europeus, parecem tão fortes e cheios de infantilidade. Chegaria a Europa a ser assim? Já estava a caminho disso? Éramos nós, velhos conhecedores e reverenciadores da verdadeira poesia de outros tempos, apenas uma minoria estúpida de complicados neuróticos, que amanhã seriam esquecidos e ridicularizados? O que chamamos *cultura*, o que chamamos espírito, alma, o que temos por belo, formoso e santo, seria simplesmente um fantasma, já morto há muito, e considerado vivo e verdadeiro só por meia dúzia de loucos como nós? Quem sabe se realmente nem era verdadeiro, nem sequer teria existido? Não teria sido mais que uma quimera tudo aquilo que nós, os loucos, tanto defendíamos?

O velho bairro me acolheu. A pequena igreja estava na penumbra, apagada e irreal. De repente, veio-me à memória o acontecimento daquela noite, a misteriosa ogiva com sua enigmática inscrição de letras luminosas a dançarem furtivas. Que dizia o letreiro? "Entrada só para os raros" e "Só para loucos". Olhei inquisitivamente para os velhos muros, desejando secretamente que o prodígio se repetisse, que a inscrição me convidasse como louco, que a porta me deixasse entrar. Ali, provavelmente, estaria o que eu desejava; ali, talvez, interpretassem minha música.

Resignado, olhava o escuro muro de pedra, cercado de trevas, imerso profundamente em seu sono. E não havia nenhuma porta nem arco ogival, só o escuro e silencioso muro sem aberturas. Passei adiante sorrindo, saudei amistosamente o muro. "Durma bem. Não vou acordá-lo. Qualquer dia será derrubado ou o cobrirão de anúncios de firmas cobiçosas de dinheiro: mas agora, ainda está aí, belo e quieto como sempre, e eu o amo por isso."

Saindo de um escuro beco, surgiu à minha frente, assustando-me, um indivíduo, um solitário caminhante que tarde se recolhia ao lar; de passo fatigado, com gorro na cabeça, uma camisa azul, levava ao ombro um pau de onde pendia um cartaz e, diante do ventre, preso por correias, um pequeno caixote, como os vendedores ambulantes de feira. Lento, caminhava à frente; ao passar por mim não se voltou para olhar-me, pois, se o tivesse feito, até que o teria cumprimentado e possivelmente lhe daria um cigarro. À luz do poste seguinte, tentei ler seu estandarte, o anúncio vermelho cravado na extremidade da haste; mas esta oscilava tanto que não consegui decifrar nada. Chamei o homem e lhe pedi que me mostrasse o cartaz. Deteve-se e segurou a haste um pouco mais erguida, de modo que pude soletrar em caracteres maiúsculos e inseguros:

NOITADA ANARQUISTA!
TEATRO MÁGICO!
ENTRADA SÓ PARA RA...

— Estava à sua procura! — exclamei alegre. — Que noitada é essa? Onde é? Quando vai ser?

O homem continuou a caminhar.

— Não é para qualquer um — disse indiferente, com voz sonolenta, e continuou seu caminho.

— Espere — gritei, correndo atrás dele. — Que leva nessa caixa? Gostaria de comprar-lhe alguma coisa.

Sem se deter, apanhou um folheto na caixa, mecanicamente, entregou-o a mim. Apanhei e guardei-o. Enquanto desabotoava o casaco para tirar dinheiro, o homem desapareceu por um portão, que se fechou às suas costas. No pátio, ouvi soar ainda seus passos pesados: primeiro, nas lajes do pavimento; depois, a subir uma escada de madeira; e não ouvi mais nada. Foi quando, de repente, me senti também muito cansado e tive a sensação de que era muito tarde e que seria conveniente regressar a casa. Corri apressado, e logo me encontrei em meu quarteirão, após atravessar as adormecidas ruelas do subúrbio, onde moravam, em pequenas casas muito limpas, atrás de um pouco de grama e hera, funcionários públicos e pequenos pensionistas.

Passando diante da hera, diante da grama, diante do pequeno abeto, cheguei à porta de casa, procurei o buraco da fechadura, achei o interruptor da luz, atravessei a porta envidraçada, passei diante dos armários envernizados e dos vasos de planta e me enfurnei em meu quarto, em minha pequena aparência de lar, onde me esperava a poltrona e a estufa, o tinteiro e a caixa de tintas, Novalis e Dostoiévski, assim como aos outros homens, os homens verdadeiros, os esperam quando voltam a casa, a mãe ou a mulher, os filhos, os criados, os cães e os gatos.

Quando tirei o casaco úmido, voltou a cair-me entre as mãos o pequeno folheto. Era um livrinho delgado, impresso em papel muito ruim; um livrete de feira, como aqueles fascículos intitulados *O homem que nasceu em janeiro* ou *Como tornar-se vinte anos mais jovem em oito dias*.

Mas, quando me achava acomodado na poltrona e pusera os óculos para ler, com grande admiração e com a sensação repentina de que ali estava encerrado meu destino, dei com o título que figurava na capa da obra: *Tratado do Lobo da Estepe. Somente para os raros*.

E seguia o conteúdo do livrete, que li de um só fôlego, em contínuo e crescente interesse.

TRATADO DO LOBO DA ESTEPE
SÓ PARA OS LOUCOS

Era uma vez um certo Harry, chamado o Lobo da Estepe. Andava sobre duas pernas, usava roupas e era um homem, mas não obstante era também um lobo da estepe. Havia aprendido boa parte de tudo quanto as pessoas de bom entendimento podem aprender, e era bastante ponderado. O que não havia aprendido, entretanto, era o seguinte: estar contente consigo e com sua própria vida. Era incapaz disso, daí ser um homem descontente. Isso provinha, decerto, do fato de que, no fundo de seu coração, sabia sempre (ou julgava saber) que não era realmente um homem, e sim um lobo da estepe. As pessoas argutas poderão discutir a propósito de ser ele realmente um lobo, de ter sido transformado, talvez antes de seu nascimento, de lobo em ser humano, ou de ter nascido homem, porém dotado de alma de lobo ou por ela dominado; ou, finalmente, indagar se essa crença de que ele era um lobo não passava de um produto de sua imaginação ou de um estado patológico. É admissível, por exemplo, que em sua infância fosse rebelde, desobediente e anárquico, o que teria levado seus educadores a tentar combater a fera que havia nele, dando ensejo, assim, a que se formassem em sua imaginação a ideia e a crença de que era, realmente, um animal selvagem, coberto apenas com um tênue verniz de civilização. A esse propósito poder-se-iam tecer longas considerações e até mesmo escrever livros; mas isso de nada valeria ao Lobo da Estepe, pois para ele era indiferente saber se o lobo se havia introduzido nele por encantamento, à força de pancada, ou se era apenas uma fantasia de seu espírito. O que os outros pudessem pensar a este respeito — ou até mesmo o que ele próprio pudesse pensar — em nada o afetaria, nem conseguiria afetar o lobo que morava em seu interior.

O Lobo da Estepe tinha, portanto, duas naturezas: uma de homem e outra de lobo; tal era seu destino, nem por isso tão singular e raro. Deve haver muitos homens que tenham em si muito de cão ou de raposa, de peixe ou de serpente, sem que com isso experimentem maiores dificuldades. Em tais casos, o homem e o peixe ou o homem e a raposa convivem normalmente e nenhum causa ao outro qualquer dano; ao contrário, um ajuda o outro, e muito homem há que levou essa condição a tais extremos a ponto de dever sua felicidade mais à raposa ou ao macaco que nele havia do que ao próprio homem. Tais fatos são bastante conhecidos. No caso de Harry, entretanto, a coisa diferia: nele o homem e o lobo não caminhavam juntos, nem sequer se ajudavam mutuamente, mas permaneciam em contínua e mortal inimizade, e um vivia apenas para causar dano ao outro, e quando há dois inimigos mortais num mesmo sangue e na mesma alma, então a vida é uma desgraça. Bem, cada qual tem seu fado, e nenhum deles é leve.

Com nosso Lobo da Estepe sucedia que, em sua consciência, vivia ora como lobo, ora como homem, como acontece aliás com todos os seres mistos. Ocorre, entretanto, que quando vivia como lobo o homem nele permanecia como espectador, sempre à espera de interferir e condenar, e quando vivia como homem o lobo procedia de maneira semelhante. Por exemplo, se Harry, como homem, tivesse um pensamento belo, experimentasse uma sensação nobre e delicada, ou praticasse uma das chamadas boas ações, então o lobo, em seu interior, arreganhava os dentes e ria, e mostrava-lhe com amarga ironia quão ridícula era aquela nobre encenação aos seus olhos de fera, aos olhos de um lobo que sabia muito bem em seu coração o que lhe convinha, ou seja, caminhar sozinho nas estepes, beber sangue vez por outra ou perseguir alguma loba. Toda ação humana parecia, pois, aos olhos do lobo, horrivelmente absurda e despropositada, estúpida e vã. Mas sucedia exatamente o mesmo quando Harry sentia e se comportava como lobo, quando arreganhava os dentes aos outros, quando sentia ódio e inimizade pelos seres humanos e seus mentirosos e degenerados hábitos e costumes. Precisamente aí era que a parte humana existente nele se punha a espreitar o lobo, chamava-o de besta e de fera e o lançava a perder, amargurando-lhe toda a satisfação de sua saudável e simples natureza lupina.

Era isso o que ocorria ao Lobo da Estepe, e pode-se perfeitamente imaginar que Harry não levasse de todo uma vida agradável e feliz. Isso não quer dizer, entretanto, que sua infelicidade fosse por demais singular (embora assim lhe pudesse parecer, da mesma forma como qualquer pessoa toma o sofrimento que se abate sobre ela como o maior do mundo). Isso não pode ser dito a propósito de ninguém. Mesmo aquele que não tem em seu interior um lobo, nem por isso pode ser considerado mais feliz. E mesmo a mais infeliz das existências tem seus momentos luminosos e suas pequenas flores de ventura a brotar entre a areia e as pedras. Assim acontecia também com o Lobo da Estepe. Não se pode negar que fosse, em geral, muito infeliz, e podia também fazer os outros infelizes, especialmente quando os queria ou era por eles estimado. Pois todos os que com ele se deram viram apenas uma das partes de seu ser. Muitos o estimaram por ser uma pessoa inteligente, refinada e arguta, e mostraram-se horrorizados e desapontados quando descobriram o lobo que morava nele. E assim tinha de ser, pois Harry, como toda pessoa sensível, queria ser amado na sua totalidade e, portanto, era exatamente com aqueles cujo amor lhe era mais precioso que ele não podia de maneira alguma encobrir ou perjurar o lobo. Havia outros, todavia, que amavam nele exatamente o lobo, o livre, o selvagem, o indômito, o perigoso e o forte, e esses achavam profundamente decepcionante e deplorável quando o selvagem e o perverso se transformava em homem, e mostrava anseios de bondade e refinamento, gostava de ouvir Mozart, de ler poesia e acalentar ideais humanos. Em geral, esses se mostravam mais desapontados e irritados do que os outros, e dessa forma o Lobo da Estepe levava sua própria natureza dual e conflitante aos destinos alheios toda vez que entrava em contato com as pessoas.

Quem, entretanto, imaginar que conhece o Lobo da Estepe e que pode analisar sua existência lamentavelmente dividida incorrerá, sem dúvida, em erro, pois ainda não sabe tudo. Não sabe que — como não há regra sem exceção e como um simples pecador em certas circunstâncias pode ser mais querido a Deus do que noventa e nove justos — Harry também conhecia de quando em vez exceções e momentos ditosos em que tanto o lobo quanto o homem podiam respirar, pensar e sentir em harmonia, e, mesmo em raras ocasiões, estabelecer a paz e viver um para o outro de tal forma que não apenas um vigiava enquanto o outro dormia, mas também se fortaleciam ambos e cada um duplicava a energia do outro. Também na vida desse homem parecia, como em todas as partes do mundo, que o costumeiro, o habitual, o conhecido e o normal tinham simplesmente por objeto permitir de quando em quando a pausa de um segundo de duração para dar lugar ao extraordinário, ao milagroso, à graça. Se tais curtas e raras horas de ventura compensavam e dulcificavam a triste sina do Lobo da Estepe, de forma que a felicidade e a desventura viessem a equilibrar-se finalmente na balança, ou se, talvez, este breve mas intenso usufruir daquelas poucas horas compensava todo o sofrimento e deixava um saldo favorável de alegria, é uma questão sobre a qual podem meditar por si mesmas as pessoas ociosas. Também o Lobo meditava muito sobre isso, em seus dias mais ociosos e inúteis.

A esse propósito há que se acrescentar algo. Muita gente existe que se assemelha a Harry; especialmente muitos artistas pertencem a essa classe de homens. Todas essas pessoas têm duas almas, dois seres em seu interior; há nelas uma parte divina e uma satânica, há sangue materno e paterno, há capacidade para a ventura e para a desgraça, tão contrapostas e hostis como eram o lobo e o homem dentro de Harry. E esses homens, para os quais a vida não oferece repouso, experimentam, às vezes, em seus raros momentos de felicidade, tanta força e tão indizível beleza, a espuma do instante de ventura emerge às vezes tão alta e deslumbradora sobre o mar da dor que sua luz, espalhando radiância, vai atingir a outros com seu encantamento. A isso se devem, a essa preciosa e momentânea espuma sobre o mar do sofrimento, todas aquelas obras artísticas em que o homem solitário e sofredor se eleva por uma hora tão alto sobre seu próprio destino que sua felicidade brilha como uma estrela, e parece a todos os que a veem como algo eterno e como se fosse seu próprio sonho de ventura. Todas essas pessoas, sejam quais forem seus atos e obras, não têm propriamente uma vida, ou seja, sua vida carece de essência e de forma, não são heróis, nem artistas, nem pensadores da maneira como os demais homens são juízes, doutores, sapateiros ou mestres; sua existência é um movimento de fluxo e refluxo, está infeliz e dolorosamente partida, é sinistra e insensata, se não estivermos propensos a ver um sentido precisamente naqueles raros acontecimentos, ações, pensamentos e obras que brilham às vezes sobre o caos de semelhante vida. Entre os homens dessa espécie surgiu o perigoso e terrível pensamento de que, talvez, toda a vida do homem não passe de um espantoso erro, de um aborto brutal da mãe primeva, um cruel e selvagem intento frustrado da Natureza. Mas entre eles surgiu também a ideia de que o homem talvez não seja apenas um animal dotado de razão, mas o filho de Deus destinado à imortalidade.

Cada espécie de homens tem suas características, seus aspectos, seus vícios e suas virtudes, e seus pecados mortais. Um dos signos do Lobo da Estepe era o de ser um noctívago. A manhã era para ele a pior parte do dia, causava-lhe temor e nunca lhe trouxera nada de bom. Nunca fora alegre em qualquer manhã de sua vida, nunca fizera nada de bom na primeira metade do dia, não tivera boas ideias, nem divisara nenhuma alegria para ele ou para os demais. Ao começar a tarde, ia reagindo lentamente, principiava a se animar e, ao cair da noite, em seus melhores dias, tornava-se frutífero, ativo e, às vezes, até brilhante e alegre. Disso decorria sua necessidade de isolamento e de independência. Nunca existira um homem com tão profunda e apaixonada necessidade de independência como ele. Em sua juventude, quando ainda era pobre e tinha dificuldades em ganhar a vida, preferia passar fome e andar malvestido a sacrificar uma parcela de sua independência. Nunca se vendera por dinheiro ou vida fácil às mulheres ou aos poderosos, e mil vezes desprezara o que aos olhos do mundo representava vantagens e regalias, a fim de salvaguardar sua liberdade. Nenhuma ideia lhe era mais odiosa e terrível do que a de exercer um cargo, submeter-se a horários, obedecer a ordens. Um escritório, uma repartição, uma sala de audiência eram-lhe tão odiosos quanto a morte, e o que de mais espantoso podia imaginar em sonhos seria o confinamento num quartel. Sabia subtrair-se a todas essas coisas, à custa de grandes sacrifícios, e nisso residiam sua força e virtude, nisso era inflexível e incorruptível, nisso seu caráter era firme e retilíneo. Só que a essa virtude estavam intimamente ligados seu sofrimento e seu destino. Ocorria a ele o que se dá com todos: o que buscava e desejava com um impulso íntimo de seu ser acabava por ser-lhe concedido, mas em grau demasiadamente superior ao que convém a um homem. A princípio, o que obtinha parecia-lhe um sonho e uma satisfação, mas logo se revelava como sendo seu amargo destino. Assim, o poderoso era arruinado pelo poder; o rico, pelo dinheiro; o subserviente, pela submissão; o luxurioso, pela luxúria. O Lobo da Estepe perecia por sua própria independência. Havia alcançado sua meta, seria sempre independente, ninguém haveria de mandar nele, jamais faria algo para ser agradável aos outros. Só e livre, decidia sobre seus atos e omissões. Pois todo homem forte alcança indefectivelmente o que um verdadeiro impulso lhe ordena buscar. Mas, em meio à liberdade alcançada, Harry compreendia de súbito que essa liberdade era a morte, que estava só, que o mundo o deixara em paz de uma inquietante maneira, que ninguém mais se importava com ele, nem ele próprio, e que se afogava aos poucos numa atmosfera cada vez mais tênue de isolamento e falta de relações. Havia chegado ao momento em que a solidão e a independência já não eram seu objetivo e seu anseio, antes sua condenação e sentença. O maravilhoso desejo fora realizado e já não era possível retroceder, e de nada valia agora abrir os braços cheio de boa vontade e nostalgia, disposto à fraternidade e à vida social. Tinham-no agora deixado só. Não que fosse motivo de ódio e de repugnância. Pelo contrário, tinha muitos amigos. Um grande número de pessoas o apreciava. Mas tudo não passava de simpatia e cordialidade; recebia convites, presentes, cartas gentis, mas ninguém vinha até ele, ninguém estava disposto nem era capaz de compartilhar de sua vida. Agora rodeava-o a atmosfera do solitário, uma atmosfera serena da qual fugia o mundo ao seu redor, deixando-o incapaz de relacionar-se, uma atmosfera contra a qual não podia prevalecer nem a vontade nem o ardente desejo. Esta era uma das características mais significativas de sua vida.

Outra era a de que pertencia ao grupo dos suicidas. E aqui é necessário esclarecer que não se devem considerar suicidas somente aqueles que se matam. Entre estes há suicidas que só o chegaram a ser por mero acaso e que realmente não fazem parte da essência do suicídio. Entre os homens sem personalidade, sem características definidas, sem destino traçado, entre os homens incapazes e amorfos, há muitos que perecem pelo suicídio, sem por isso pertencerem ao tipo dos suicidas, ao passo que há muitos que devem ser considerados suicidas pela própria natureza de seu ser, os quais, talvez a maioria, nunca atentaram efetivamente contra a própria vida. O "suicida" — e Harry era um deles — não precisa necessariamente viver em relações particularmente intensas com a morte; isto se pode fazer sem que se seja um suicida. É próprio do suicida sentir seu eu, certo ou errado, como um germe da Natureza, particularmente perigoso, problemático e daninho, que se encontra sempre extraordinariamente exposto ao perigo, como se estivesse sobre o pico agudíssimo de um penedo em que um pequeno toque exterior ou a mais leve vacilação interna seriam suficientes para arrojá-lo no abismo. Essa classe de homens se caracteriza na trajetória de seu destino porque para eles o suicídio é a forma de morte mais verossímil, pelo menos segundo sua própria opinião. A existência dessa opinião, que quase sempre é perceptível já na primeira mocidade e acompanha esses homens durante toda sua vida, não representa, talvez, uma particular e débil força vital, mas, ao contrário, encontram-se entre os suicidas naturezas extraordinariamente tenazes, ambiciosas e até ousadas. Mas, assim como há naturezas que caem em febre diante da mais ligeira indisposição, assim propendem essas naturezas, a que chamamos "suicidas", e que sempre são muito delicadas e sensíveis à menor comoção, a entregar-se intensamente à ideia do suicídio. Se tivéssemos uma ciência que possuísse coragem e autoridade suficientes para ocupar-se do homem, em vez de fazê-lo simplesmente no mecanismo dos fenômenos vitais, se tivéssemos uma verdadeira antropologia, uma verdadeira psicologia, tais fatos seriam conhecidos de todos.

O que foi dito acima a propósito dos suicidas só diz respeito, obviamente, à superfície; é psicologia, portanto uma parte da física. Do ponto de vista metafísico, o assunto aparece de outra forma e muito mais claro, pois, vistos assim, os "suicidas" se nos apresentam como perturbados pelo sentimento de culpa inerente aos indivíduos, essas almas que encontram o sentido de sua vida não no aperfeiçoamento e moldagem do ser, mas na dissolução, na volta à mãe, a Deus, ao Todo. Muitas dessas naturezas são inteiramente incapazes de cometer o suicídio real, porque têm uma profunda consciência do pecado que isso representa. Para nós, entretanto, são, apesar disso, suicidas, pois veem a redenção na morte e não na vida; estão dispostos a eliminar-se e a entregar-se, a extinguir--se e a voltar ao princípio.

Assim como toda força pode converter-se em fraqueza (e em certas circunstâncias deve fazê-lo, necessariamente), assim, ao contrário, o suicida típico pode fazer de sua aparente debilidade uma força e um escudo, o que acontece aliás com certa frequência. A estes pertencia também Harry, o Lobo da Estepe. Como milhares de seus semelhantes, fazia da ideia de que o caminho da morte estava pronto para ele a qualquer momento, não era uma quimera juvenil e melancólica, mas, antes, encontrava nesse pensamento apoio e consolo. É verdade que nele, como em todos os homens de sua espécie, cada comoção, cada dor, cada desesperada situação da vida despertava imediatamente o desejo de livrar-se de tudo por meio da morte. Mas, pouco a pouco, foi transformando em seu interior essa tendência numa filosofia que era, na verdade, propensa à vida. A profunda convicção de que aquela saída de emergência estava constantemente aberta lhe dava forças, fazia-o sentir a curiosidade de provar seu sentimento até às últimas instâncias. E quando se via na miséria, podia às vezes sentir com furiosa alegria uma espécie de prazer em sofrer: "Estou curioso por saber até que ponto um homem pode resistir. E quando alcançar o limite do suportável, basta abrir a porta e escapar." Há muitos suicidas que extraem força extraordinária deste pensamento.

Por outra parte, a todos os suicidas é familiar a luta contra a tentação do suicídio. Cada um deles sabe muito bem, em algum canto de sua alma, que o suicídio, embora seja uma fuga, é uma fuga mesquinha e ilegítima, e que é mais nobre e belo deixar-se abater pela vida do que por sua própria mão. Tendo consciência disso, a mórbida consciência que é praticamente a mesma daqueles satisfeitos consigo mesmos, os suicidas, em sua maioria, são impelidos a uma luta prolongada contra a tentação. Lutam como os cleptômanos lutam contra o próprio vício. O Lobo da Estepe era bastante afeito a esse tipo de luta; nela já havia combatido com várias armas. Finalmente, aos 46 anos de idade, deu com uma ideia feliz, mas não inofensiva, que lhe causava não raro algum deleite. Fixou a data de seu 50º aniversário como o dia no qual se permitiria o suicídio. Nesse dia, convencionara consigo mesmo, podia usar a saída de emergência, segundo a disposição que demonstrasse. Então, poderia ocorrer-lhe o que fosse — enfermidades, miséria, sofrimentos e amarguras —, que tudo teria um limite, nada poderia estender-se além daqueles poucos anos, meses e dias, cujo número era cada vez menor. E, na realidade, suportava agora com mais facilidade males que antes o teriam atormentado profundamente, males que o teriam comovido até as entranhas. Quando por qualquer motivo as coisas iam particularmente mal, quando novas dores e perdas se vinham juntar à desolação, ao isolamento e ao desespero de sua vida, podia dizer aos seus algozes: "Esperai mais dois anos e eu vos dominarei." E logo se punha a imaginar o dia de seu 50º aniversário, quando, logo pela manhã, começariam a chegar as cartas e felicitações, enquanto ele, tomando da navalha, despedir-se-ia das dores e fecharia a porta atrás de si. Então, a gota das juntas, a depressão do espírito e todas as dores de cabeça e do estômago poderiam procurar outra vítima.

Carece ainda de elucidação o fenômeno individual do Lobo da Estepe, e principalmente suas relações singulares com a burguesia, de modo que tais sintomas devem ser perscrutados em sua fonte de origem. Tomemos como ponto de partida, já que se nos apresenta por si mesma, precisamente aquela sua relação com o "burguês"!

O Lobo da Estepe vivia, segundo seu próprio entendimento, inteiramente à margem do mundo convencional, pois não conhecera nem a vida de família nem as ambições sociais. Sentia-se isolado, ora como um esquisitão e doentio eremita, ora como um indivíduo superiormente dotado, que por seu gênio se sobressaía do comum dos mortais. Desprezava conscientemente a burguesia e vivia orgulhoso de não pertencer a ela. Contudo, sob muitos aspectos, vivia inteiramente como burguês, tinha dinheiro no banco, ajudava alguns parentes pobres, vestia-se sem cuidados particulares mas de maneira decente e sem chamar a atenção; procurava viver em paz com a polícia, os coletores de impostos e outros poderes semelhantes. Mas, além disso, sentia forte e secreta atração pela vida burguesa, pelas tranquilas e decentes residências familiares com seus bem- cuidados jardins, suas escadas reluzentes e sua modesta atmosfera de ordem e decoro. Agradava-lhe ter pequenos vícios e extravagâncias, sentir-se antiburguês, esquisitão ou gênio, mas nunca fixava residência onde não existisse nenhuma classe de burguesia. Não se encontrava à vontade em meio a pessoas violentas e coléricas, nem entre delinquentes e criminosos, mas antes procurava sempre viver em meio à classe média, com cujos hábitos, normas e atmosfera estava bem familiarizado, embora pudesse ter contra elas revolta e oposição. Além disso, fora educado em meio à pequena burguesia e dela conservara um grande número de ideias e noções. Teoricamente, nada tinha em contrário à prostituição, mas, na prática, não seria capaz de levar uma prostituta a sério ou considerá-la realmente sua igual. Aos criminosos políticos, aos revolucionários ou aos sedutores espirituais, podia amá-los como se fossem seus irmãos, ou respeitar o Estado e a sociedade, mas não saberia como tratar um ladrão, um criminoso ou sádico, a não ser demonstrando por eles uma compaixão eminentemente burguesa.

Dessa forma, sempre reconhecia e afirmava com uma parte de seu ser, por pensamentos ou atos, o que com a outra parte negava e combatia. Criado num lar burguês e culto, de moral firme, nunca chegara a libertar parte de sua alma desses convencionalismos, mesmo depois de ter-se individualizado na medida do possível dentro da burguesia e se divorciado do conteúdo dos ideais e das crenças burguesas.

O "burguês", como um estado sempre presente da vida humana, não é outra coisa senão a tentativa de uma transigência, a tentativa de um equilibrado meio-termo entre os inumeráveis extremos e pares opostos da conduta humana. Tomemos, por exemplo, qualquer dessas dualidades, como o santo e o libertino, e nossa comparação se esclarecerá em seguida. O homem tem a possibilidade de entregar-se por completo ao espiritual, à tentativa de aproximar-se de Deus, ao ideal de santidade. Também tem, por outro lado, a possibilidade de entregar-se inteiramente à vida dos instintos, aos anseios da carne, e dirigir seus esforços no sentido de satisfazer os prazeres momentâneos. Um dos caminhos conduz à santidade, ao martírio do espírito, à entrega a Deus. O outro caminho conduz à libertinagem, ao martírio da carne, à corrupção. O burguês tentará caminhar entre ambos, no meio-termo. Nunca se entregará nem se abandonará à embriaguez ou ao ascetismo; nunca será mártir nem consentirá em sua destruição, mas, ao contrário, seu ideal não é a entrega, mas a conservação de seu eu; seu esforço não significa nem santidade nem libertinagem, o absoluto lhe é insuportável, quer certamente servir a Deus, mas também entregar-se ao êxtase, quer ser virtuoso, mas quer igualmente passar bem e viver comodamente sobre a Terra. Em resumo, tenta plantar-se em meio aos dois extremos, numa zona temperada e vantajosa, sem grandes tempestades ou borrascas, e o consegue ainda que à custa daquela intensidade de vida e de sentimentos que uma existência extremada e sem reservas permite. Viver intensamente só se consegue à custa do eu. Mas o burguês não aprecia nada tanto quanto o seu eu (um eu na verdade rudimentarmente desenvolvido). À custa da intensidade consegue, pois, a subsistência e a segurança; em vez da posse de Deus, cultiva a tranquilidade da consciência; em vez do prazer, a satisfação; em vez da liberdade, a comodidade; em vez dos ardores mortais, uma temperatura agradável. O burguês é, pois, segundo sua natureza, uma criatura de impulsos vitais muito débeis e angustiosos, temerosa de qualquer entrega de si mesma, fácil de governar. Por isso, colocou, no lugar do poder, a maioria; no lugar da autoridade, a lei; no lugar da responsabilidade, as eleições.

É compreensível que essa débil e angustiada criatura, embora existindo em número tão grande, não consiga manter-se e que, de acordo com suas particularidades, não possa representar outro papel no mundo senão o de rebanho de cordeiros entre lobos erradios. Contudo, vemos que em tempos de governos fortes os burgueses se veem oprimidos contra a parede, mas nunca sucumbem; na verdade, às vezes parecem mesmo dominar o mundo. Como será possível? Nem o numeroso rebanho, nem a virtude, nem o senso comum, nem a organização serão suficientes para salvá-lo da destruição. Não há remédio no mundo que possa sustentar uma intensidade tão débil em sua origem. E, todavia, a burguesia vive, é forte e próspera. Por quê?

A resposta é a seguinte: por causa dos lobos da estepe. Com efeito, a força vital da burguesia não se apoia de maneira alguma nas particularidades de seus membros normais, porém nas dos extraordinários e numerosos *outsiders*,* que, em consequência, a querem rodear com a vaga indecisão e a elasticidade de seus ideais. Convive sempre na burguesia uma grande multidão de naturezas fortes e selvagens. Nosso Lobo da Estepe, Harry, é um exemplo característico. Ele, que se desenvolveu muito mais do que se espera de um burguês, ele, que conhece as delícias da meditação e também as sombrias alegrias do ódio e do ódio contra si mesmo, ele, que despreza a lei, a virtude, o senso comum, é, no entanto, um prisioneiro

---

* Em inglês no original. (N. do T.)

forçado da burguesia, e não pode escapar a ela. E, assim, em torno do núcleo da burguesia se sobrepõem amplas camadas de humanidade, muitos milhares de vidas e inteligências, cada uma das quais surgida certamente da burguesia e disposta a uma vida sem reservas, mas que continua dependente da burguesia por sentimentos infantis e um tanto contagiada em sua debilidade pela intensidade vital; embora desterradas da burguesia, continuam de certo modo pertencendo a ela, obrigadas a ela e a seu serviço, pois à burguesia assenta perfeitamente o contrário da máxima do Grande: "Quem não está contra mim está comigo!"

Se examinarmos agora a alma do Lobo da Estepe, veremos que ele é distinto do burguês por causa do alto desenvolvimento de sua individualidade, pois toda individualização superior se orienta para o egotismo e propende portanto ao aniquilamento. Vemos que tem em si um forte impulso tanto para o santo quanto para o libertino; no entanto, não pode tomar o impulso necessário para atingir o espaço livre e selvagem, por debilidade ou inércia, e permanece desterrado na difícil e maternal constelação da burguesia. Esta é sua situação no espaço do mundo e sua sujeição. A maior parte dos intelectuais e dos artistas pertence a esse tipo. Só os mais fortes entre eles ultrapassam a atmosfera da terra da burguesia e logram entrar no espaço cósmico; todos os demais se resignam ou selam pactos, pertencem a ela, reforçam-na e glorificam-na, pois em última instância têm de professar sua crença para viver. A vida desse infinito número de pessoas não atinge o trágico, mas apenas um infortúnio considerável e uma desventura, em cujo inferno seus talentos engendram e frutificam. Os poucos que se libertaram buscam sua recompensa no absoluto e sucumbem no esplendor. São os trágicos, e seu número é pequeno. Mas os outros, os que permaneceram submissos, a cujo talento a burguesia concede com frequência grandes homenagens, a esses se abre um terceiro reino, um mundo imaginário, mas soberano: o humor. Aos inquietos lobos da estepe, a esses contínuos e terríveis pacientes, aos que está negado o apoio necessário para o trágico, para subir ao espaço sideral, que se sentem chamados para o absoluto e, no entanto, não podem nele viver; para esses, quando seu espírito se fez duro e elástico na dor, abre-se-lhes o caminho conciliante do humor. O humor é sempre um pouco burguês, embora o verdadeiro burguês seja incapaz de compreendê-lo. Em suas imaginárias esferas realiza-se o ideal intrincado e multifacetado de todos os lobos da estepe; aqui é possível não apenas celebrar o santo e o libertino ao mesmo tempo e unir um polo ao outro, mas também incluir os burgueses na mesma afirmação. É possível estar-se possuído por Deus e sustentar o pecador, e vice-versa, mas não é possível nem ao santo nem ao libertino (nem a nenhum outro absoluto) afirmar aquele meio-termo fraco e neutro que se chama burguês. Somente o humor, a magnífica descoberta dos que foram detidos em seu voo para o mais alto, dos quase trágicos, dos infelizes superdotados, só o humor (talvez o produto mais genuíno e genial da humanidade) atinge esse impossível e une todos os aspectos da existência humana nos raios de seu prisma. Viver no mundo como se não fosse o mundo, respeitar a lei e, no entanto, colocar-se acima dela, possuir uma coisa "como se não a possuísse", renunciar como se não se tratasse de uma renúncia, todas essas proposições favoritas e formuladas com frequência, todas essas exigências de uma alta ciência da vida somente pode realizá-las o humor.

E no caso do Lobo da Estepe, a quem não faltam faculdades e disposições para tanto, se lograsse, no labirinto de seu inferno, absorver e transpirar essa bebida mágica, então estaria salvo. Ainda lhe falta muito para isso, mas a possibilidade, a esperança existem. Quem o ama, quem se interessa por ele, pode desejar-lhe essa salvação. Ela iria, é verdade, mantê-lo preso ao mundo burguês, mas seu padecimento seria suportável e produtivo. Suas relações com o mundo burguês, quer no amor ou no ódio, perderiam seu sentimentalismo, e sua sujeição a ele cessaria de atormentá-lo continuamente como uma desonra.

Para alcançar isso, ou para, afinal, ser capaz de tentar o salto no desconhecido, teria um lobo da estepe de defrontar-se algumas vezes consigo mesmo, olhar profundamente o caos de sua própria alma e chegar à plena consciência de si. Sua existência enigmática revelar-se-ia, então, para ele, em toda a sua invariabilidade, e ser-lhe-ia impossível para sempre no futuro escapar do inferno de seus impulsos e refugiar-se em consolos filosóficos e sentimentais. Seria necessário que o homem e o lobo se conhecessem mutuamente sem falsas máscaras sentimentais, que se fitassem nos olhos em toda a sua nudez. Então, explodiriam ou se separariam para sempre, de modo que não voltariam a existir lobos da estepe ou chegariam a bons termos à luz nascente do humor.

É possível que Harry tenha um dia esta última possibilidade. É possível que um dia aprenda a conhecer-se, seja porque receberá nas mãos um dos nossos espelhinhos, seja porque alcance o Imortal ou talvez encontre num dos nossos teatros mágicos aquilo de que necessita para libertar sua alma desgarrada. Mil possibilidades o esperam, seu destino as atrai irremediavelmente, pois todos esses solitários da burguesia vivem na atmosfera dessas mágicas possibilidades. Basta apenas um nada para que se produza a centelha.

E tudo isso é amplamente conhecido pelo Lobo da Estepe, ainda que seus olhos nunca venham a dar com esse fragmento de sua biografia íntima. Ele suspeita e teme a possibilidade de um encontro consigo mesmo, e está cônscio da existência daquele espelho no qual tem uma necessidade tão amarga de olhar-se e no qual teme mortalmente ver-se refletido.

Para terminar nosso estudo, resta esclarecer ainda uma última ficção, um engano fundamental. Todas as "interpretações", toda psicologia, todas as tentativas de tornar as coisas compreensíveis se fazem por meio de teorias, mitologias, de mentiras; e um autor honesto não deveria furtar-se, no fecho de uma exposição, a dissipar essas mentiras dentro do possível. Se digo "acima" ou "abaixo", isso já é uma afirmação que exige um esclarecimento, pois só existem acima e abaixo no pensamento, na abstração. O mundo mesmo não conhece nenhum acima nem abaixo.

Da mesma maneira, para ser sucinto, o "Lobo da Estepe" também é uma ficção. Se o próprio Harry se sente como homem-lobo e se crê formado por dois seres inimigos e opostos, isso é puramente uma mitologia simplificadora. Harry não é nenhum homem-lobo, e se aceitamos, a princípio, sua mentira, inventada e acreditada por ele mesmo, e tentamos considerá-lo e explicá-lo dentro da realidade como um ser duplo, como um lobo da estepe, foi porque nos aproveitamos dela para sermos compreendidos mais facilmente, mentira essa cuja retificação deve ser tentada agora.

A divisão em lobo e homem, em impulso e espírito, mediante a qual Harry procura explicar seu destino, é uma grosseira simplificação, uma violação do real em favor de uma explicação plausível porém errônea da desarmonia que esse homem encontra em si e que lhe parece a fonte de seus não leves sofrimentos. Harry encontra em si um "homem", ou seja, um mundo de pensamentos, de sensações, de cultura, de natureza domada e sublimada, e vê também, ao lado de tudo isso, um "lobo", ou seja, um obscuro mundo de instintos, de selvageria e crueldade, de natureza bruta e insublimada. Apesar dessa divisão, ao que tudo indica tão clara, de seu ser em duas esferas, que são inimigas entre si, de quando em quando já percebeu que o lobo e o homem, durante algum tempo, vivem reconciliados. Se Harry tentasse estabelecer em cada momento determinado de sua vida, em cada um de seus sentimentos, a parte correspondente ao homem e a parte que corresponde ao lobo, acabaria por encontrar-se num dilema, e toda a sua bela teoria do homem-lobo cairia por terra. Pois não há um único ser humano, nem mesmo o negro primitivo, nem mesmo os idiotas, convenientemente simples, que possa ser explicado como a soma de dois ou três elementos principais; e explicar um homem tão complexo quanto Harry por meio da ingênua divisão em lobo e homem seria uma tentativa positivamente infantil. Harry compõe-se não de dois, mas de cem ou de mil seres. Sua vida (como a vida de cada um dos homens) não oscila simplesmente entre dois polos, tais como o corpo e o espírito, o santo e o libertino, mas entre mil, entre inumeráveis polos.

Não devemos surpreender-nos pelo fato de que mesmo um homem tão inteligente e educado quanto Harry possa tomar-se por um "lobo da estepe" e reduzir a rica e complexa imagem de sua vida a uma fórmula tão simples, tão rudimentar e primitiva. O homem não é capaz de pensar em alta escala, e mesmo o mais espiritual e altamente intelectualizado pode contemplar o mundo e a si próprio através das lentes de fórmulas enganosas e simplistas — especialmente a si próprio! Pois parece ser uma necessidade inata e imperativa de todos os homens imaginarem o próprio ser como unidade. E apesar de essa ilusão sofrer com frequência graves contratempos e terríveis choques, ela sempre se recompõe. O juiz que se senta diante do criminoso e o fita no rosto, e por um instante reconhece todas as emoções, potencialidades e possibilidades do assassino em sua própria alma de juiz e ouve a voz do assassino como sendo a sua, já no momento seguinte volta a ser uno e indivisível como juiz, volta a encerrar-se no invólucro do seu eu quimérico, cumpre seu dever e condena o assassino à morte. E se em algumas almas humanas, singularmente dotadas e de percepção sensível, se levanta a suspeita de sua composição múltipla, e, como ocorre aos gênios, rompem a ilusão da unidade personalística e percebem que o ser se compõe de uma pluralidade de seres como um feixe de eus, e chegam a exprimir essa ideia, então imediatamente a maioria as prende, chama a ciência em seu auxílio, diagnostica esquizofrenia e protege a humanidade para que não ouça um grito de verdade dos lábios desses infelizes. Então, para que perder aqui palavras, por que expressar coisas que todos aqueles que pensam conhecem por si mesmos, quando sua simples enunciação é uma nota de mau gosto? Assim, pois, se um homem se aventura a converter numa dualidade a pretendida unidade do eu, se não é um gênio, é em todo caso uma rara e interessante exceção. Mas na realidade não há nenhum eu, nem mesmo o mais simples, não há uma unidade, mas um mundo plural, um pequeno firmamento, um caos de formas, de matizes, de situações, de heranças e possibilidades. Cada indivíduo isolado vive sujeito a considerar esse caos como uma unidade e fala de seu eu como se fora um ente simples, bem formado, claramente definido; e a todos os homens, mesmo aos mais eminentes, esse rude engano parece uma necessidade, uma exigência da vida, como o respirar e o comer.

O equívoco reside numa falsa analogia. Todo homem é uno quanto ao corpo, mas não quanto à alma. Também na literatura, mesmo na mais refinada, encontramos este conceito habitual em personagens aparentemente unos, aparentemente uniformes. No teatro de hoje, o que mais aprecia a gente do ofício, os conhecedores, é o drama, e com razão, pois oferece (ou oferecia) as maiores possibilidades para a representação do eu como uma pluralidade, se a isto não se opõe a brutal impressão de unidade que nos dá cada pessoa isolada do drama, ao levar encerrada, sem resistência, essa pluralidade num corpo simples, uniforme e isolado. Também apreciam muito a ingênua estética do chamado drama de caráter, no qual cada figura se apresenta como uma unidade muito característica e isolada. Só de longe e pouco a pouco começa a despertar em alguns a suspeita de que tudo isso não passa de uma razoável estética superficial, de que nos equivocaremos se aplicarmos aos nossos grandes dramaturgos a magnífica ideia de beleza dos antigos, pois esta não é congênita a nós, mas simplesmente intuída, e é nela, na fonte comum dos corpos visíveis, que se encontra exatamente a ficção do ego, da personalidade. Nas obras da Índia Antiga esta concepção é completamente desconhecida, os heróis da epopeia índica não são pessoas, mas aglomerados de pessoas, conjuntos de reencarnações. E em nosso mundo moderno há obras em que, por trás do véu do jogo das pessoas e caracteres, tentou-se apresentar uma pluralidade de almas, não de todo inconsciente para o autor. Quem queira comprovar isso deve decidir-se a considerar de uma vez as figuras de uma obra semelhante não como seres individuais, mas como partes, como facetas, como aspectos diversos de uma suprema unidade (que para mim é a alma do poeta). Quem examinar desse modo o *Fausto,* tanto Fausto quanto Mefistófeles, Wagner e todos os demais significarão para ele uma unidade, uma superpessoa, e só nesta suprema unidade e não nas figuras isoladas estará refletido algo da verdadeira essência da alma. Quando Fausto diz a frase que ficou célebre entre os professores e admirada com terror por filisteus: "Duas almas, ai, moram no meu peito!", esqueceu-se de Mefistófeles e de toda uma multidão de outras almas que também se abrigam em seu peito. Nosso Lobo da Estepe crê levar também em seu peito duas almas (lobo e homem) e, por isso, sente o peito demasiadamente oprimido e estreito. O peito, o corpo, é sempre uno, mas as almas que nele residem não são nem duas, nem cinco, mas incontáveis; o homem é um bulbo formado por cem folhas, um tecido urdido com muitos fios. Os antigos asiáticos sabiam disso muito bem e encontraram na ioga búdica uma técnica precisa para descobrir a ilusão da personalidade. Divertido e multíplice é o jogo da humanidade: a ilusão que levou milhares de anos para ser descoberta pelos hindus é a mesma ilusão que aos ocidentais custou tanto trabalho custodiar e fortalecer.

Se observarmos o Lobo da Estepe a partir desse ponto de vista, veremos claramente por que sofre tanto sob sua ridícula dualidade. Crê, como Fausto, que duas almas são demais para um só peito e podem arrebentar com ele. Mas, ao contrário, são demasiado poucas, e Harry violenta terrivelmente sua pobre alma se busca compreendê-la numa imagem tão primitiva. Harry, embora seja um homem grandemente instruído, procede talvez como um selvagem, que não sabe contar além de dois. Chama a uma parte de si mesmo de homem; à outra, de lobo, e com isso acredita ter chegado à meta e esgotado o assunto. No "homem" encerra tudo o que há de espiritual, de sublime ou culto que encontra em si, e no "lobo" tudo o que há de instintivo, de selvagem e caótico. Mas as coisas não se passam na vida de maneira tão simples como em nosso pensamento, nem tão rude como em nosso pobre idioma de idiotas, e Harry se engana duplamente ao empregar este método tacanho do lobo. Harry considera, o que é de temer-se, todas as divisões de sua alma como parte do "homem", muitas das quais já deixaram de ser homem, e qualifica partes de seu ser como lobo, partes que há muito já estão além do lobo.

Como todos os homens, Harry crê saber muito bem o que é o homem, e não sabe absolutamente nada, embora o suspeite algumas vezes em sonho e em outros estados anímicos não sujeitos a controle. Quem dera não esquecesse esses pressentimentos, mas se apropriasse deles tanto quanto possível! O homem não é uma forma fixa e duradoura (tal era o ideal dos antigos, apesar do pensamento em contrário de alguns luminares da época); é antes um ensaio e uma transição, não é outra coisa senão a estreita e perigosa ponte entre a Natureza e o Espírito. Para o espírito, para Deus, ele é impulsionado por sua vocação mais íntima. Para a natureza, para a mãe, é atraído pelo mais íntimo desejo. Sua vida oscila vacilando angustiosamente entre ambas as forças. O que se compreende comumente pela palavra "homem" é sempre uma estipulação efêmera e burguesa. Certos impulsos mais crus estão afastados e proibidos nessa convenção; um grau de consciência e de cultura humana é reclamado à besta; uma pequena parcela de espírito não é somente permitida, como também encorajada. O homem dessa convenção, como todos os outros ideais burgueses, é uma conciliação, um intento tímido, de ingênua astúcia, com o intuito de enganar tanto a perversa mãe Natureza primitiva quanto o incômodo primitivo pai Espírito de suas enérgicas exigências e para viver na zona temperada entre eles. É por isso que a média das pessoas permite e tolera aquilo que denomina "personalidade", mas ao mesmo tempo entrega a personalidade àquele Moloch chamado "Estado" e intriga continuamente um com o outro. Assim o burguês queima hoje por herege e enforca por criminoso aquele ao qual amanhã levantará estátuas.

Que o "homem" não é alguma coisa já criada — mas apenas uma exigência do espírito, uma possibilidade longínqua, tão desejada quanto temida, e que o caminho a que isso conduz só vai sendo percorrido em pequenos impulsos e debaixo de terríveis tormentos e sonhos, precisamente por aquelas raras individualidades para as quais hoje se prepara o patíbulo e amanhã o monumento — é uma suspeita que vive também no Lobo da Estepe. Porém, o que ele para si designa como "homem", em contraposição ao seu "lobo", não é em grande parte senão aquele homem medíocre do convencionalismo burguês. O caminho para o verdadeiro homem, o caminho para os imortais, Harry adivinha-o perfeitamente e percorre-o também aqui e ali com timidez, muito lentamente, pagando esse avanço com graves tormentos e com seu doloroso isolamento. Mas proporcionar-se, aspirar àquela suprema exigência, àquela encarnação pura e buscada pelo espírito, andar o único caminho estreito para a imortalidade, isso ele receia no mais profundo de sua alma. Tem perfeita consciência de que isso conduz a tormentos ainda maiores, à proscrição, à renúncia de tudo, talvez ao cadafalso; e, apesar de saber que no fim desse caminho a imortalidade sorri sedutora, não está disposto a padecer todos esses sofrimentos, a morrer todas essas mortes. Tendo ainda mais consciência do fim da encarnação do que os burgueses, fecha todavia os olhos e faz por ignorar que o apego desesperado ao próprio eu, a desesperada ânsia de viver são o caminho mais seguro para a morte eterna, ao passo que o saber morrer, rasgar o véu do mistério, ir procurando eternamente mutações em si mesmo conduz à imortalidade. Quando adora seus favoritos entre os imortais, Mozart, por exemplo, nunca o faz, afinal, senão com olhos de burguês, e pretende explicar doutamente a perfeição de Mozart apenas pelos seus altos dotes de músico, e não pela grandeza de sua abnegação, paciência no sofrimento e independência perante os ideais da burguesia, pela sua resignação naquele extremo isolamento, semelhante ao do horto de Getsêmani, que em torno do que sofre e está em vias de reencarnação rarifica toda a atmosfera burguesa até convertê-la em gelado éter cósmico.

Mas, enfim, nosso Lobo da Estepe descobriu dentro de si ao menos a duplicidade fáustica; conseguiu determinar que à unidade de seu corpo corresponde uma unidade espiritual, mas que, no melhor dos casos, apenas se encontra em caminho, com uma larga peregrinação à frente, para o ideal dessa harmonia. Desejaria vencer dentro de si o lobo e viver inteiramente como homem, ou então renunciar ao homem e viver ao menos como lobo uma vida uniforme, sem desvios. Provavelmente, nunca observou com atenção um lobo autêntico; então veria, talvez, que nem mesmo os animais possuem a unidade da alma, que também neles, atrás da bela e austera forma do corpo, vive uma multiplicidade de desejos e de estados; que também o lobo tem abismos no seu interior e também sofre. Não! Com a volta à Natureza o homem vai sempre por um falso caminho, cheio de sofrimentos e sem esperanças. Harry não pode tornar a converter-se inteiramente em lobo, e se tal acontecesse, veria que nem mesmo o lobo é simples e originário, mas alguma coisa já muito complexa. Também o lobo tem duas e mais de duas almas dentro do peito, e quem deseja ser um lobo incorre na mesma ignorância do homem da canção: "Feliz quem voltasse a ser criança!" O homem simpático mas sentimental, que entoa a canção do menino ditoso, desejaria também voltar à Natureza, à inocência, ao princípio, mas esqueceu que nem mesmo as crianças são felizes, e sim suscetíveis a muitos conflitos, a muitas desarmonias, a todos os sofrimentos.

Para trás não conduz a nenhum caminho, nem para o lobo nem para a criança. No princípio das coisas não há simplicidade nem inocência; tudo o que foi criado, até o que parece mais simples, é já culpável, já complexo, foi lançado ao sujo torvelinho do desenvolvimento e já não pode, não poderá nunca mais, nadar contra a corrente. O caminho para a inocência, para o incriado, para Deus, não se dirige para trás, mas sim para diante; não para o lobo ou a criança, mas cada vez mais para a culpa, cada vez mais fundamente dentro da encarnação humana. Nem mesmo com o suicídio, pobre Lobo da Estepe, te livrarás realmente das dificuldades; tens de percorrer o caminho mais largo, mais penoso e mais difícil da humana encarnação; frequentemente terás de multiplicar tua multiplicidade, complicar ainda mais tua complexidade. Em vez de reduzir teu mundo, de simplificar tua alma, terás de recolher cada vez mais mundo, de recolher no futuro o mundo inteiro na tua alma dolorosamente dilatada, para chegar talvez algum dia ao fim, ao descanso. O mesmo caminho foi percorrido por Buda e por todos os grandes homens, uns conscientemente, outros inconscientemente, na medida em que a fortuna favorecia sua busca. Nascimento significa desunião do todo, limitação, afastamento de Deus, penosa reencarnação. Volta ao todo, anulação da dolorosa individualidade, chegar a ser Deus quer dizer: ter dilatado a alma de tal forma que se torne possível voltar a conter novamente o todo.

Não se trata aqui do homem conhecido das escolas, da economia política ou da estatística, nem do homem que, aos milhões, anda pela rua e não tem mais importância do que a areia ou a espuma dos mares: pouco adiantam alguns milhões a mais ou a menos; são material e nada mais. Não, nós falamos aqui do homem no sentido elevado do termo, do largo caminho da encarnação humana, do homem verdadeiramente real, dos imortais. O gênio não é tão raro como em geral nos parece, nem tão frequente como pretendem as histórias literárias, a história universal e até mesmo os jornais. O lobo da estepe Harry, segundo nossa opinião, seria gênio bastante para intentar a aventura da encarnação humana, sem necessidade de trazer para confrontação, lamentavelmente, a cada dificuldade, seu estúpido lobo da estepe.

É tão estranho e entristecedor que homens de tais possibilidades surjam como lobos da estepe e com "duas almas, ai!", e que mostrem tamanha afeição covarde ao burguês. Um homem capaz de compreender Buda, um homem que tem noção dos céus e dos abismos da natureza humana, não deveria viver num meio em que dominam o senso comum, a democracia e a educação burguesa. Só por covardia continua a viver nele, e quando suas dimensões o oprimem, quando a estreita cela do burguês se torna demasiado apertada, ele atribui tudo isso ao "lobo" e não quer aperceber-se de que, às vezes, o lobo é sua melhor parte. Tudo o que há de feroz dentro de si ele o atribui ao lobo, e o tem por mau, perigoso e terror dos burgueses; mas ele que, no entanto, se acredita um artista e supõe ter sensibilidade não é capaz de ver que fora do lobo, atrás do lobo, vivem no seu interior muitas outras coisas: que nem tudo o que morde é lobo; que dentro de si habitam também a raposa, o dragão, o tigre, o macaco e a ave-do-paraíso, e que todo esse mundo é um éden cheio de milhares de seres, formosos e terríveis, grandes e pequenos, fortes e delicados, mundo asfixiado e cercado pelo mito do lobo — tanto como o verdadeiro homem que nele há é asfixiado e preso apenas pela sua aparência de homem, pelo burguês.

Imagine-se um jardim de cem espécies de árvores, com mil variedades de flores, com cem espécies de frutas e outros tantos gêneros de ervas. Pois bem, se o jardineiro que cuida desse jardim não conhece outra diferenciação botânica além do "joio" e do "trigo", então não saberá que fazer com nove décimas partes do seu jardim, arrancará as flores mais encantadoras, cortará as árvores mais nobres, ou pelo menos ter-lhes-á ódio e as olhará com maus olhos. Assim faz o Lobo da Estepe com as mil flores de sua alma. O que não está compreendido na designação pura e simples de "lobo" ou de "homem" nem sequer merece sua atenção. E quantas qualidades ele empresta ao homem! Tudo o que é covarde, símio, estúpido, mesquinho, desde que não seja muito, diretamente lupino, ele o atribui ao "homem", assim como atribui ao "lobo" tudo o que é forte e nobre, só porque não conseguiu ainda dominá-lo.

Despedimo-nos de Harry. Deixamos que continue seu caminho. Se já estivesse com os imortais, se já tivesse chegado lá aonde sua penosa marcha parece querer levá-lo, como olharia assombrado esse vaivém, esse feroz e irresoluto zigue-zague da sua rota, como sorriria a esse lobo da estepe, animando-o, censurando-o, com compaixão e complacência!

Quando terminei de ler, recordei que uma noite, algumas semanas antes, havia escrito um estranho poema, que também tratava do Lobo da Estepe. Busquei-o no torvelinho de papéis que enchem a gaveta de minha mesa, encontrei-o e li:

> Eu, o Lobo da Estepe, vago errante
> pelo mundo de neve recoberto;
> um corvo sai de uma árvore, adejando,
> mas não há corças por aqui, nem lebres!
> Vivo ansiando por achar a corça,
> ah! se eu desse com uma!
> Tê-la em meus dentes, entre as minhas garras,
> nada seria para mim tão belo.
> Havia de tratá-la tão cordial,
> de cravar-lhe nas ancas os meus dentes,
> beber-lhe o sangue até a saciedade
> a uivar depois na noite solitário.
> Contentava-me mesmo com uma lebre!
> Na noite sabe bem a carne flácida.
> Por que de mim há de afastar-se tudo
> quanto faz esta vida mais alegre?
> Em minha cauda o pelo está grisalho
> e também já não vejo as coisas nítidas;
> há muito que morreu a minha esposa
> e vivo a errar sonhando corças,
> ansiando lebres,
> ouço o vento soprar na noite fria
> com neve aplaco o fogo da garganta
> e levo para o diabo a minha alma.

Agora tinha nas mãos dois retratos meus: um, o autorretrato em versos burlescos, triste e angustiado como eu mesmo; o outro, frio e traçado com aparência de alta objetividade por um estranho, visto de fora para dentro e de cima para baixo, escrito por alguém que sabia mais e, no entanto, também menos do que eu. E esses dois retratos, meu poema triste e balbuciante e o inteligente estudo de mão desconhecida, ambos me causaram dor, ambos tinham razão, retratavam sem rebuços minha desconsolada existência, mostravam claramente o insuportável e insustentável da minha condição. Esse Lobo da Estepe devia morrer, sua odiosa existência devia encontrar fim por suas próprias mãos ou havia de consumir-se no fogo mortal de uma continuada exposição de si mesmo; deveria transformar-se, tirar a máscara e defrontar-se com uma nova encarnação do seu eu. Ah, este processo não me era novo nem estranho, já o conhecia, já o havia experimentado em muitas ocasiões, algumas vezes em momentos de profundo desespero. Às vezes, meu ser ficava reduzido a frangalhos com essas experiências destrutivas; às vezes, as potências do abismo o despertavam e o destruíam; outras vezes, atraiçoava-me um período definido e particularmente adorado de minha vida, e o perdia para sempre. Em certa ocasião, perdi minha condição burguesa juntamente com meus bens, e tive de aprender a renunciar à consideração daqueles que até então tiravam o chapéu diante de mim. De outra feita, minha vida familiar desmoronou da noite para o dia: minha mulher, atacada de loucura, expulsou-me do lar e do conforto; o amor e a confiança se converteram logo em ódio e em luta de morte; os vizinhos me olhavam cheios de compaixão e de desprezo. Foi aí que começou minha solidão. E outra vez, depois de alguns anos amargos e difíceis, depois de ter construído uma nova vida ascética e espiritual, de ter criado um ideal, numa severa solidão e penosa autodisciplina, depois de ter atingido certa tranquilidade e altivez, entregue à prática do pensamento abstrato e a uma meditação rigorosamente metódica, essa transformação vital também acabou por desabar, essa forma de vida perdeu num instante seu nobre e elevado sentido; arrastou-me de novo a viajar fatigantemente pelo mundo, amontoaram-se novas dores e novas culpas. E cada vez que arrancava uma máscara, que via ruir um ideal, cada um desses acontecimentos era precedido por um silêncio e um vazio cruéis, por um mortal isolamento e ausência de relações, um triste e sombrio inferno que agora de novo tinha de enfrentar.

Não posso negar que após cada uma dessas comoções de minha vida, no final sempre me restava algum proveito, um pouco mais de liberdade, de espiritualidade, de profundidade, mas também de isolamento, de incompreensão, de frigidez. Vista do ângulo burguês, minha vida fora, de uma a outra dessas comoções, uma permanente descida, um afastamento cada vez maior do normal, do permitido, do são. Ao longo de alguns anos fiquei sem trabalho, sem família, sem lar; estava à margem de qualquer grupo social, sozinho, sem o amor de ninguém; inspirava suspeita a muitos, estava em contínuo e amargo conflito com a opinião e a moral públicas, e embora continuasse vivendo na esfera burguesa, era, todavia, por minha maneira de pensar e de sentir, um estranho neste mundo. Religião e pátria, família e Estado careciam de significação para mim e já nada me importava; a presunção da ciência, das profissões, das artes, me causava asco; meus pontos de vista, meu gosto, todo o meu pensamento, com o que em outras épocas brilhara como homem bem conceituado, tudo estava agora abandonado e embrutecido e causava suspeita a muita gente. Se em todas as minhas dolorosas transmutações eu adquirira algo de indizível e imponderável, caro eu tivera de pagá-lo, e em cada uma delas minha vida se tornara mais dura, mais difícil, mais solitária e perigosa. Na verdade, não tinha nenhum motivo para desejar a continuação desse caminho que me conduzia a atmosferas cada vez mais rarefeitas, semelhantes àquela fumaça da *Canção de outono*, de Nietzsche.

Ah, sim, já conhecia esses acontecimentos, essas transformações que o destino reserva aos seus filhos diletos, aos mais difíceis de contentar; conhecia-os demasiadamente bem. Conhecia-os como um caçador diligente mas sem sorte conhece as etapas de uma caçada, como um velho jogador da Bolsa pode conhecer as etapas da especulação, do lucro, da insegurança, da insolvência, da bancarrota. Teria de voltar a sofrer tudo aquilo? Todo esse tormento, toda essa extraviada necessidade, todos esses olhares de vileza e pouco valor do próprio eu, toda essa terrível angústia diante do sucumbir, todo esse temor da morte? Não era mais prudente e simples impedir a repetição de tanta dor e sair de cena? Certamente, era mais simples e razoável. Fosse verdadeiro ou não o que diz o livrinho do Lobo da Estepe sobre o suicida, nada poderia impedir-me o prazer de matar-me com a ajuda do gás, da navalha ou da pistola, a repetição de um processo cujas amargas consequências já tivera ocasião de experimentar tantas vezes e com tanta intensidade. Não, com todos os demônios, não havia nenhuma força no mundo que pudesse exigir de mim novamente o encontro com os horrores da morte, o ter de passar outra vez por uma nova conformação, uma nova encarnação, cujo fim não seriam já a paz e o descanso, mas sempre uma nova autodestruição, ou pelo menos outra nova autoconformação! Embora o suicídio fosse estúpido, covarde e mesquinho; embora fosse uma saída de emergência difamante e vergonhosa para fugir ao torvelinho de dores, qualquer saída, ainda a mais ignominiosa, seria de desejar-se intimamente; não se tratava de nenhum drama de nobreza e de heroísmo, aqui estaria eu diante da singela escolha entre uma dor passageira e leve e um sofrimento infinito e indizível. Não raro em minha vida — difícil e insensata — fui como o nobre Dom Quixote, preferindo a honra à comodidade e o heroísmo à razão! Mas já era tempo de acabar com isso!

A manhã já despontava através da vidraça, a plúmbea e maldita luz de um dia chuvoso de inverno, quando finalmente fui para a cama. Estava, afinal, decidido. Porém, no último instante, no derradeiro momento de consciência, no instante do transpasse, brilhou com a rapidez de um raio aquela notável passagem do livrete do Lobo da Estepe, na qual se fala dos imortais, e a ela se uniu a palpitante recordação de que em muitas ocasiões (a última fora recentemente) eu me sentira bastante próximo deles para saborear, ao compasso de uma música antiga, toda a serena, clara e sorridente sabedoria de que eram dotados. Esta lembrança surgiu em mim, brilhou um momento e se extinguiu, e o sono caiu pesado como uma montanha sobre a minha cabeça.

Despertando por volta do meio-dia, encontrei logo clara minha resolução; o livrinho estava na mesinha de cabeceira, junto ao poema, e minha decisão, após uma noite de sono, havia tomado forma e me contemplava do torvelinho de minha vida atual com um calmo e amigável gesto de saudação. Não havia pressa. Minha resolução de morrer não era produto do humor de uma hora, era um fruto maduro e são, que havia sazonado lentamente até atingir a plenitude, embalado pelo vento do destino cujo próximo sopro haveria de deitá-lo ao chão.

Tinha em minha caixa de remédios uma droga excelente para aplacar dores, um preparado extremamente forte à base de ópio, que usava muito raramente, dele me abstendo não raro por meses seguidos. Recorria ao narcótico somente quando a dor física me mortificava insuportavelmente. Mas não servia para o suicídio; já o havia experimentado fazia alguns anos. Certa vez, quando o desespero se apoderara de mim, tomei uma boa dose do medicamento, o suficiente para dar cabo de seis homens, e no entanto ele não conseguiu liquidar-me. É verdade que dormi e estive algumas horas em completo aturdimento, mas depois, para grande decepção de minha parte, fui semidespertado por violentas convulsões estomacais, vomitei todo o veneno e voltei a dormir, até o dia seguinte, quando despertei com o estômago vazio, o cérebro a arder e quase sem memória. A não ser um período de insônia e de fortes dores no estômago, o veneno não me causou nenhum outro efeito.

Não cabia, pois, levar tal meio em consideração, por isso resolvi a coisa da seguinte forma: quando me visse na necessidade de usar aquele ópio, ninguém me impediria de administrar-me, em vez desse breve calmante, outro mais duradouro, a morte, a morte certa, positiva, por meio de uma bala ou da navalha de barbear. Com isso ficava definida a situação. E quanto a esperar que chegasse aos 50 anos, como o livrete sabiamente prescrevia, pareceu-me uma espera demasiado longa de suportar, pois me faltavam ainda dois anos para isso. Mas, dentro de um ano, de um mês ou talvez amanhã, a porta estaria aberta para mim.

Não posso dizer que essa resolução tivesse alterado muito minha vida. Tornou-me um pouco mais indiferente para com minhas aflições, um pouco mais descuidado no uso do ópio e do vinho, um pouco mais curioso de conhecer os limites do suportável, mas isso era tudo. Os outros acontecimentos daquela noite tiveram efeito mais perdurável. Voltei a ler várias vezes o *Tratado do Lobo da Estepe*, já com abnegação e agradecimento, como se um mago invisível estivesse dirigindo prudentemente meu destino, já com desprezo e desdém, pela insipidez do tratado que, a meu ver, não compreendia em absoluto a disposição e o transe específicos de minha vida. O que ali estava escrito sobre os lobos da estepe e os suicidas era, sem dúvida, muito bom e judicioso, caracterizava bem a espécie e o tipo, mas era uma rede de malhas muito largas para apanhar meu ser individual, meu destino único e insubstituível.

Todavia, o que mais me ocupava o pensamento era aquela alucinação ou visão do muro da igreja, a advertência cheia de promessas daquelas letras luminosas, que concordavam com o significado do tratado. Muito me estava prometido ali, as vozes daquele estranho mundo acicatavam-me a curiosidade; nelas pensei profundamente durante longas horas. E a advertência daquela inscrição me falava cada vez mais claramente: "Só para os raros!" "Só para loucos!" Louco eu devia ser, e sem dúvida era um dos "raros", senão aquela voz não teria me alcançado, senão aquele mundo não teria o que me dizer. Meu Deus, não estava, havia bastante tempo, afastado da vida comum, da existência e do pensamento dos normais, não estava, havia muito, mais do que suficientemente solitário e louco? E, no entanto, compreendi muito bem no íntimo do meu ser o chamado, o convite à loucura, o alijamento da razão, a escapada aos estorvos da convenção para entregar-me a um mundo flutuante e anárquico, da alma e da fantasia.

Uma tarde, após percorrer em vão as ruas e praças em busca do homem do cartaz e após ter passado e tornado a passar diante do muro da porta invisível, acabei dando com um cortejo fúnebre em São Martim. Enquanto examinava a face dos que acompanhavam o carro fúnebre, fiquei pensando: em que parte da cidade, em que parte do mundo vive o homem cuja morte significará uma perda para mim? E onde estará o homem para quem minha morte havia de significar algo? Havia Erika, é verdade, mas há muito que vivíamos separados; raramente nos víamos sem que brigássemos, e por ora nem sequer sabia de seu paradeiro. Vinha, às vezes, ver-me, ou eu ia ao seu encontro, e embora ambos fôssemos pessoas solitárias e difíceis, aparentadas na alma e nas suas enfermidades, havia entre nós certos laços que persistiam apesar de tudo. Mas não haveria de respirar fundo e sentir-se um tanto aliviada ao ter conhecimento de minha morte? Não sabia. Também nada sabia sobre a autenticidade de meus próprios sentimentos. É preciso que se viva no normal e no possível para que se saiba algo de tais coisas.

Enquanto isso, seguindo meu capricho, juntei-me ao cortejo fúnebre e caminhei ao lado dos acompanhantes até o cemitério, uma necrópole moderna, de cimento, dotada de crematório e de todos os requisitos imagináveis. Nosso defunto, entretanto, não foi cremado. Descarregaram o caixão junto a uma simples cova aberta no solo, e vi o padre e os outros abutres da morte mais os agentes funerários executarem suas funções, procurando revesti-las de alta solenidade e tristeza; sua teatralidade, confusão e fingimento eram tais que ficavam a um passo do ridículo. Vi como suas vestes negras caíam-lhes flutuantes dos ombros e como se esforçavam por imitar a tristeza dos parentes e em dobrar o joelho diante da majestade da morte. Tal afã era inútil, pois ninguém chorava, o morto não parecia insubstituível para quem quer que fosse. Ninguém parecia disposto a piedosas reflexões, e quando o padre se dirigiu à comitiva chamando a todos de "meus irmãos em Cristo", silenciosos e mercantis aqueles negociantes e quitandeiros acompanhados de suas mulheres baixaram os olhos com muita seriedade, embaraçados e perplexos, movidos apenas pelo desejo de que tudo aquilo acabasse o quanto antes. Quando parecia ter chegado o fim, os dois irmãos em Cristo que estavam na frente apertaram a mão do orador e limparam os sapatos numa moita, tirando-lhes o barro úmido em que fora sepultado o morto; logo os rostos voltaram a ficar imediatamente naturais e humanos e um deles me pareceu de repente conhecido; era, segundo imaginei, o homem que naquele dia carregava o cartaz, o mesmo que me entregara aquele pequeno livro.

Naquele instante, como me parecesse havê-lo reconhecido, o homem se voltou, agachou-se, deteve-se a baixar a bainha das calças de fazenda preta, que trazia arregaçadas sobre os sapatos, e afastou-se às pressas dali, com um guarda-chuva pendurado ao braço. Saí atrás dele, alcancei-o, cumprimentei-o com a cabeça, mas ele pareceu não me reconhecer.

— Hoje tem espetáculo? — perguntei, tentando piscar um olho à maneira daqueles que compartilham um segredo. Mas semelhante linguagem mímica havia deixado de ser natural para mim, pois, vivendo como vivia, quase perdera o hábito de falar e senti que toda a minha tentativa de fazer um sinal acabara não passando de uma estúpida careta.

— Espetáculo? — grunhiu o homem, olhando-me como se jamais me tivesse deitado os olhos. — O senhor que vá ao Águia Negra, se é o que deseja.

Na verdade, eu não estava seguro se aquele era ou não o homem do cartaz. Decepcionado, continuei a caminhar, sem saber aonde ia, sem metas, sem preocupações ou deveres. A vida me sabia horrivelmente amarga. O asco que morava em mim estava atingindo seu mais alto nível, sentia que a vida me empurrava e me arrastava para fora. Furioso, corri pela cidade em brumas, tudo me parecendo cheirar a terra e a fossa. Não! Em meu enterro não haveria nenhum daqueles pássaros da morte, com suas sotainas e seus murmúrios piedosos! Ah! para qualquer canto que olhasse, para qualquer parte que dirigisse o pensamento, em lugar algum me esperava uma alegria, em nenhuma parte havia um chamado para mim, nem sentia qualquer atrativo, tudo cheirava a decomposição e a apodrecido conformismo, tudo era velho, murcho, triste, balofo e esgotado. Meu Deus! como era possível tal coisa? Que havia sido de mim, que tivera as asas da juventude e da poesia, o amigo das musas, o viajante do mundo, o ardente idealista? Como me sobreviera uma paralisia tão lenta e furtiva, esse ódio contra mim mesmo e contra todos, essa obstrução de todo sentimento, essa profunda e perniciosa indolência, esse imundo inferno de saciedade e coração vazio?

Ao passar pela biblioteca, encontrei-me com um jovem professor, com quem havia conversado algumas vezes e a quem fora procurar em sua casa quando da última vez em que estive aqui, faz alguns anos, para conversarmos sobre mitologia oriental — um tema que então me interessava muito. O estudioso vinha em minha direção, andando com ar empertigado e aparência de quem sofre da vista, e só me reconheceu no momento exato em que eu já me dispunha a passar ao largo. Precipitou-se sobre mim com muita cordialidade, e eu, em meu lamentável estado de espírito, quase me senti agradecido por tal cordialidade. Estava contente em ver-me e animou-se ainda mais recordando-me algumas particularidades de nossas conversações anteriores, assegurando-me que muito devia aos meus estímulos e que pensava frequentemente em mim; desde aquela época não voltara a conversar com nenhum colega de maneira tão emotiva e proveitosa. Perguntou-me desde quando estava na cidade (menti: uns poucos dias apenas) e por que ainda não fora visitá-lo. Olhei para a cara do homem, achei a cena um tanto ridícula, mas lambi como um cão faminto aquelas migalhas de simpatia, aquelas sobras de calor humano, aquele reconhecimento. Harry, o Lobo da Estepe, sorriu comovido, a baba veio-lhe à boca seca e, contra sua vontade, deixou-se entregar ao sentimentalismo. Sim, tornei a mentir: estava aqui apenas de passagem, por motivos de estudos, e não me sentia muito bem-disposto, senão já teria ido visitá-lo, é claro. E quando me convidou amavelmente para passar a tarde em sua casa, aceitei agradecido e pedi-lhe que transmitisse minhas recomendações à sua senhora, enquanto as faces me doíam de tanto esforço, pois não estavam acostumadas àquele fastidioso exercício. E durante o tempo em que eu, Harry Haller, estive em meio à rua surpreso e envaidecido, estudadamente polido e sorridente, diante do rosto míope e bondoso do colega professor, o outro Harry ficou ao lado, rindo-se ironicamente e pensando no irmão tão singular, tão desnaturalizado, tão mentiroso que tinha, pois não fazia dois minutos havia arreganhado os dentes contra o mundo maldito e agora, à primeira chamada, ao primeiro saudar ingênuo de um honrado homem de bem, se sentia comovido e extremamente condescendente, e se refestelava todo como um leitãozinho diante de um pouco de afeto, consideração e amizade. Assim estavam os dois Harrys, as duas figuras extraordinariamente antipáticas, diante do professor, insultando-se, observando-se e cuspindo-se mutuamente, e ao mesmo tempo fazendo a si mesmas, como sempre que se achavam nessa situação, a mesma pergunta: se aquilo não passava de debilidade e estupidez humana, vulgar falta de hombridade, ou se aquele sentimental egoísmo, aquela falta de caráter, aquele desmazelo e dissensão dos sentimentos eram simplesmente uma peculiaridade dos lobos da estepe. Se tal sordidez fosse comum aos humanos, então podia entregar-me ao desprezo pelo mundo com renovadas energias, mas, se fosse apenas uma debilidade pessoal, então ali estava o motivo para uma orgia de autodesprezo.

Com a disputa entre os dois Harrys, o professor foi quase esquecido; de repente, voltou a parecer-me aborrecido e me apressei em despachá-lo. Vi-o afastando-se pela avenida deserta, com o passo humilde e algo cômico de um idealista, de um crente. Alvoroçava-se a batalha em meu interior, e enquanto eu contraía e distendia mecanicamente os dedos intumescidos, em luta contra a gota, tive de confessar a mim mesmo que me havia deixado apanhar, que aceitara um convite para jantar às sete e meia da noite, com a obrigação de fazer cortesias, de conversar sobre assuntos científicos e de contemplar a felicidade de uma família estranha. Voltei furioso para casa, misturei conhaque com água, engoli minhas pílulas para a gota, estendi-me no divã e tentei ler. Quando consegui entregar-me um instante à leitura da *Viagem de Sofia, de Memel à Saxônia,* um folhetim encantador do século XVIII, recordei-me de repente do convite e de que não estava barbeado nem vestido. Sabe Deus por que havia concordado em aceitar o convite! Assim sendo, Harry, levanta-te, deixa o livro de lado, ensaboa a cara, raspa a barba até sair sangue, veste a roupa e entrega-te ao convívio dos homens! E enquanto me barbeava pensei no imundo buraco de lama do cemitério, no qual haviam baixado o desconhecido, e nos rostos avinagrados dos contrafeitos irmãos em Cristo, mas não consegui rir-me disso nem uma só vez. Ali terminava, segundo me parecia, naquele imundo buraco de lama, em meio às tolas palavras do pregador e os estúpidos gestos dos acompanhantes, no espetáculo desconsolador de todas aquelas cruzes de lápides de metal e mármore, junto àquelas flores artificiais de arames e vidros, ali terminava não só o desconhecido, ali acabaria enterrado amanhã ou depois não só eu, diante da perplexidade e da hipocrisia dos acompanhantes, mas ainda tudo mais, todo o nosso anseio, toda a nossa cultura, toda a nossa fé, toda a nossa alegria de viver e o nosso gosto de existir! Nosso mundo cultural era um cemitério, ali estavam Jesus Cristo e Sócrates, ali estavam Mozart e Haydn, Dante e Goethe; não passavam de nomes meio apagados numa placa de metal enferrujada, rodeada de assistentes falsos e hipócritas, que dariam tudo para continuar acreditando nas placas de metal, em outros tempos sagradas para eles; que dariam tudo para dizer ao menos umas honestas e sérias palavras de tristeza e desesperança sobre o mundo desaparecido, mas só sabiam, em vez disso, rodear o túmulo, gesticulantes e forçados. Acabei cortando-me no queixo no lugar de costume; gastei uns minutos para estancar o sangue, e tive de trocar o colarinho, sem saber por que fazia tudo aquilo, pois não sentia o menor prazer em atender àquele convite. Mas uma parte de Harry estava representando de novo uma comédia, dizendo que o professor era uma pessoa simpática; suspirava por um pouco de aroma de humanidade, de sociedade e de palestra; lembrou-se da bela mulher do professor, achou no fundo muito alentadora a ideia de passar a noite na casa daqueles amáveis anfitriões, e me ajudou a pregar no queixo um pedacinho de esparadrapo; ajudou-me a vestir e dar o nó à gravata decente, e me impediu com jeito de seguir meu verdadeiro impulso de permanecer em casa. Ao mesmo tempo, pensava comigo: assim como agora me visto e saio, vou visitar o professor e troco com ele algumas frases amáveis, mais ou menos falsas, tudo isso contra a minha vontade, assim procede a maioria dos homens que vivem e negociam todos os dias, todas as horas, forçadamente e sem na realidade querê-lo; fazem visitas, mantêm conversações, sentam-se durante horas inteiras em seus escritórios e fábricas, tudo à força, mecanicamente, sem vontade; tudo poderia ser realizado com a mesma perfeição por máquinas ou não se realizar; e essa mecânica eternamente continuada é o que lhes impede, assim como a mim, de exercer a crítica de sua própria vida, reconhecer e sentir sua estupidez e superficialidade, sua desesperada tristeza e solidão. E têm razão, muitíssima razão, os homens que assim vivem, que se divertem com seus brinquedinhos, que correm atrás de seus assuntos, em vez de se oporem à mecânica aflitiva e olharem desesperados o vazio, como faço eu, homem marginalizado que sou. Se às vezes desprezo e até me burlo dos homens nestas páginas, não será por isso que os culpe de minha indigência pessoal! Mas eu, que cheguei tão longe e estou à margem da vida, de onde se tomba à escuridão sem fundo, cometo uma injustiça e minto, se pretendo enganar-me e enganar os outros, como se funcionasse também para mim aquela mecânica, como se continuasse a pertencer àquele mundo nobre e infantil do eterno jogo!

A noite foi também prodigiosa. Detive-me um momento diante da casa de meu conhecido e olhei para dentro através das janelas. Ali mora um homem, pensei, que leva avante seu trabalho ano após ano, que lê e comenta textos, procura inter--relações entre as mitologias pré-asiáticas e índicas, e sente satisfação com isso, pois crê no valor de seu trabalho, crê na ciência, de quem é fiel servidor; acredita no valor do saber, que se deva acumular cultura, pois crê no progresso e no desenvolvimento. Não viveu a guerra nem a revolução das bases do pensamento humano feita por Einstein (isso é algo que diz respeito somente aos matemáticos, pensa ele); não percebe em absoluto que em seu redor se está preparando a próxima guerra; considera odiosos os judeus e os comunistas; é um bom menino, irreflexivo, alegre, que se considera importante e invejável. Assim mesmo resolvi entrar; fui recebido por uma criada de avental branco, que por algum pressentimento me fez notar com exatidão onde deixava meu chapéu e o sobretudo; introduziu-me numa sala cálida e luminosa, rogou-me que esperasse; aí, em vez de rezar uma oração ou dormitar um pouco, segui um impulso brincalhão e apanhei a primeira coisa que estava a meu alcance. Era uma gravura e representava o poeta Goethe, um ancião cheio de caráter, genialmente penteado e com o rosto muito bem modelado, no qual não faltavam nem o célebre fogo do olhar nem o traço de solitário com um ligeiro véu de cortesia, detalhes que devem ter exigido grande trabalho ao artista. Conseguira ele dar a esse demoníaco ancião, sem prejuízo de sua profundidade, um ar acadêmico e ao mesmo tempo teatral de autodomínio e probidade, e o representara, enfim, como um senhor formoso em sua senilidade, próprio para adornar qualquer casa burguesa. Provavelmente a estampa não fosse mais estúpida que as outras dessa classe; todos aqueles nobres redentores, apóstolos, heróis, intelectuais e estadistas, confeccionados por aplicados artífices, me irritavam mais talvez pelo virtuosismo com que eram tratados. Fosse como fosse, talvez devido à minha irritabilidade habitual, aquela vã e pretensiosa representação do velho Goethe despertou em mim uma dissonância fatal e me deu a entender que não estava no lugar devido. Ali era o ambiente familiar dos grandes mestres belamente estilizados e das grandezas nacionais, não dos lobos da estepe.

Se o dono da casa se tivesse apresentado, ter-me-ia sido fácil retirar-me em seguida com aceitáveis pretextos. Mas foi a dona da casa quem entrou, e me conformei com a sorte, embora estivesse prenunciando desgraça. Cumprimentamo-nos, e, ao primeiro desacordo, seguiram-se outros, mais sonoros. A senhora elogiou minha boa aparência, embora eu estivesse mais que convencido do muito que mudara desde nosso último encontro; já ao apertar-me os dedos gotosos, fez-me recordar minhas terríveis dores reumáticas. E logo perguntou como ia minha mulher, tendo eu lhe dito que ela me havia abandonado e que nosso casamento estava desfeito. Estávamos alegres quando entrou o professor. Ele também me cumprimentou alegremente, e o falso e o cômico da situação chegaram logo a um belo clímax. Trazia um jornal à mão, um diário que assinava, órgão do partido militarista exaltado, e, após ter-me dado a mão, apontou o jornal e disse que nele havia um artigo sobre um indivíduo que tinha o mesmo nome que eu, um tal de Haller, articulista, que devia ser um indivíduo sem pátria, pois zombara do *Kaiser* e afirmara que sua pátria não era menos culpada da guerra do que os países inimigos. Que espécie de indivíduo devia ser?! A redação respondera energicamente a esse tipo e o expusera à execração pública. Passamos a outro assunto quando viu que o tema não me interessava; nem de longe ocorreu a ambos a possibilidade de aquele monstro estar sentado na frente deles, quando a verdade é que estava, pois o horrível indivíduo era eu. Deixa para lá! Para que perturbar e assustar as pessoas! Ri para dentro, sabendo que lá se fora a esperança de sentir algo agradável naquela noite.

Recordo-me claramente do instante em que o professor começou a falar de Haller, o traidor de sua pátria. Foi aí que o horrendo sentimento de depressão e desespero, que progressivamente crescia em meu interior desde a cena do enterro, se materializou numa rude opressão, chegou ao clímax de uma angústia corporal (no ventre), despertando dentro de mim um terrível e sufocante presságio. Tive a impressão de que algo estava à minha espera, de que se aproximava um perigo. Felizmente anunciaram que o jantar estava à mesa. Passamos à sala de jantar, e enquanto me esforçava por dizer ou perguntar algo sem importância, comi mais do que de costume e me senti cada vez mais digno de lástima. Santo Deus, pensava continuamente, por que nos sacrificas tão severamente? Percebi claramente que meus anfitriões também não se sentiam à vontade e que sua cordialidade era forçada, fosse porque eu me comportasse de maneira tão lamentável, fosse em consequência talvez de algum desentendimento doméstico. Não houve uma só pergunta que me fizessem que recebesse de mim uma resposta exata; logo me vi embaraçado em minhas mentiras e tive de lutar contra o asco que cada palavra me causava. Por fim, à guisa de mudar de assunto, comecei a falar-lhes a propósito do enterro que presenciara naquela manhã. Mas não consegui encontrar o tom; minhas recorrências ao humor soaram vazias e cada vez mais nos afastávamos uns dos outros. Em meu interior o Lobo da Estepe arreganhava os dentes com ironia; e ao chegar a sobremesa o silêncio já havia tomado conta de nós três.

Regressamos à sala de estar onde tomamos café e licor, na esperança de que isso pudesse animar-nos. Mas ali, entretanto, voltou a cair-me sob a vista a figura do príncipe dos poetas, embora estivesse colocado sobre uma cômoda a um canto da sala. Sem conseguir livrar-me dele, levantei-me e apanhei-o de novo, embora ouvisse em meu interior a advertência de que estava prestes a cometer uma indelicadeza. De tal forma me senti obcecado pelo insustentável da situação que achei chegado o momento de animar meus anfitriões, arrastá-los para fora de sua comodidade e colocá-los de acordo comigo, senão, do contrário, sobreviria certamente uma explosão.

— É de supor — disse eu — que Goethe não fosse assim na realidade, não tivesse este vaidoso ar de nobreza, esta majestade lançando olhares amáveis para seus admiradores, este ar varonil de quem vive num mundo de encantadores sentimentalismos! Sem dúvida, poder-se-iam dizer muitas coisas contra ele; eu próprio muito teria de recriminar sua venerável pomposidade; mas representá-lo assim, bem, já é ir longe demais.

A dona da casa serviu o café com uma expressão de profunda reprovação no olhar e deixou a sala, e logo o marido confessou-me, um tanto encabulado, que o retrato de Goethe pertencia à esposa e era considerado por ela uma de suas mais caras relíquias.

— E mesmo que, objetivamente, o senhor tivesse razão, o que me permito duvidar, não devia ter-se expressado com tamanha franqueza.

— O senhor tem razão — admiti. — Infelizmente, é um hábito, um vício que tenho, este de sempre expressar-me da maneira mais rude, coisa que o próprio Goethe costumava fazer em seus melhores momentos. Nesta reprodução amaneirada, Goethe, certamente, jamais se permitiria o uso de uma expressão crua, direta e autêntica. Peço-lhe mil perdões, ao senhor e à sua senhora; diga-lhe, por favor, que sou um esquizofrênico. E agora, se me permite, está na hora de retirar-me.

A isso o confuso senhor fez algumas objeções, voltando a recordar-me quanto tinham sido belas e emotivas nossas anteriores discussões e que minhas teorias a propósito de Mithras e Krishna causaram-lhe naquele tempo uma profunda impressão; achava, pois, que hoje também seria a oportunidade... e assim por diante. Agradeci-lhe e disse-lhe que tais palavras eram muito amáveis, mas que infelizmente meu interesse por Krishna, assim como meu gosto pelas conversas eruditas, haviam desaparecido por completo, e que, além disso, ainda no dia de hoje, havia mentido várias vezes para ele; por exemplo, que não estava na cidade fazia apenas alguns dias, mas já havia muitos meses; vivia, entretanto, só para mim e não me sentia mais apto a participar de reuniões familiares, primeiro porque estava sempre de mau humor e afetado pela gota, e, segundo, por estar bêbado a maioria das vezes. Finalmente, para reabilitar-me e não passar por mentiroso, tive de declarar ao ilustre senhor que ele me havia ofendido muitíssimo. Corroborara a opinião contra Haller, veiculada por um estúpido militar desocupado e cabeça-dura, expedida num jornaleco reacionário. Aquele *indivíduo*, o apátrida Haller, era eu mesmo; e melhor para o país e para o mundo que ao menos um ou dois indivíduos capazes de pensar se inclinassem pela razão e pela paz, do que levar cegamente os homens a uma nova guerra.

E me levantei e me despedi de Goethe e do professor, apanhei no cabide minhas coisas e saí correndo. O malvado lobo uivava dentro de mim. Os dois Harrys se atracaram numa cena. Compreendi depois claramente que aquela noitada tão pouco edificante tinha para mim muito mais importância do que para o indignado professor; para ele fora uma decepção e um pequeno escândalo; mas para mim foi um último fracasso e deserção; minha despedida do mundo burguês, moralista, erudito; uma vitória completa do Lobo da Estepe. E fora uma despedida de fugitivo e vencido, uma declaração de falência ante mim mesmo, uma despedida sem consolo, sem supremacia, sem humor. Eu havia me despedido de meu mundo de então e de minha pátria, da burguesia, dos costumes, da ciência, da mesma forma que um paciente de úlcera estomacal se despede do leitão assado. Furioso, corri sob a luz dos lampiões, furioso e com uma tristeza mortal. Que dia mais desconsolador, mais vergonhoso e miserável, desde a manhã até a noite, desde o cemitério até a cena na casa do professor! Por quê? Para quê? Haveria sentido em continuar sofrendo dias e mais dias assim, em continuar tragando tais sopas? Não! E, assim sendo, aquela comédia tinha de acabar hoje mesmo. Vá para casa, Harry, e corte o pescoço! Chega de esperar!

Corri pelas ruas de um lado para outro, impulsionado pela miséria. Naturalmente, fora uma tolice de minha parte vituperar contra os adornos de salão daquela boa gente; fora tolo e grosseiro, mas não podia fazer outra coisa, não podia resistir àquela vida mansa, falsa, judiciosa. E como tampouco pudesse aguentar, ao que parece, a solidão, como minha própria sociedade me odiasse tão indizivelmente e me tivesse horror, afogado que estava no espaço sem ar de meu inferno, que saída me restava? Nenhuma. Pensei em meu pai e em minha mãe, na sagrada chama de minha juventude há tanto tempo extinta, nos milhares de alegrias e afãs de minha vida. Nada me restava de tudo aquilo, nem sequer o arrependimento, somente o tédio e a dor. Nunca me havia causado tamanha pena o simples fato de viver como naquela hora.

Numa afastada taberna de subúrbio descansei por uns momentos, bebendo água e conhaque, e depois continuei a correr, acicatado pelo diabo, indo pelas abruptas e tortuosas ruelas da cidade velha, pelas avenidas, até a praça da estação. Viajar!, pensei. Entrei na estação, consultei a lista dos trens pregada à parede, bebi um copo de vinho e tentei recobrar o ânimo. Comecei a ver cada vez mais se aproximando, cada vez mais claramente, o fantasma que tanto temia. A volta a casa, o voltar a encerrar-me no quarto, o ter de permanecer quieto diante do desespero! Não podia escapar a isso ainda que continuasse caminhando horas e horas: o regresso à minha porta, à minha mesa cheia de livros, ao divã com o retrato de minha amada pendurado em cima; não podia escapar ao instante em que tomaria a navalha e teria de cortar o pescoço. Esta imagem fazia-se cada vez mais clara diante de mim e cada vez mais precisa; sentindo o coração bater-me fortemente, provava a angústia maior de todas as angústias: o medo da morte! Sim, tinha um pavoroso horror à morte. Embora não vislumbrasse outra saída, embora o tédio, a dor e o desespero me tivessem sitiado, embora já nada me atraísse nem pudesse causar-me alegria ou dar-me esperanças, horrorizava-me indizivelmente a execução, o último instante, a fria ferida aberta na própria carne!

Não enxergava nenhum caminho por onde pudesse escapar daquilo que tanto temia. Se na luta contra o desespero e a covardia esta última vencesse também hoje por acaso, amanhã e todos os dias seguintes estaria diante de mim o desespero, aumentado pelo desprezo de mim mesmo. Tantas vezes apanharia a lâmina para tornar a afastá-la, que uma vez, decerto, chegaria ao fim. Então, era melhor fazê-lo logo, hoje! Falava comigo mesmo como se falasse com uma criança assustada, mas a criança não me ouvia, fugia dali, queria viver. Continuei minha caminhada inconstante pela cidade, fiz amplos círculos em torno de minha casa, com a ideia do regresso em mente, mas sempre procrastinando. Parava aqui e ali nas tabernas, enquanto esvaziava um copo ou dois; logo voltava a caminhar, em amplos círculos em torno da meta, em torno da navalha, em torno da morte. Às vezes, sentava-me, morto de cansaço, num banco, na borda de uma fonte, no meio-fio; ouvia bater meu coração, limpava o suor da face, continuava meu trajeto, cheio de angústias mortais, cheio de vacilantes ânsias de viver.

Dessa forma cheguei, já avançada a noite, a uma hospedaria de um quarteirão afastado e que pouco conhecia, por trás de cujas janelas soava uma estridente música de dança. Sobre a porta, li ao entrar um velho letreiro: Águia Negra. Dentro havia grande animação, muita fumaça, cheiro de vinho e algazarra; no salão, mais para dentro, estavam dançando ao som de uma música ensurdecedora. Detive-me na primeira sala, onde havia umas pessoas simples, na sua maioria pobremente vestidas, enquanto na sala de baile podiam-se ver pessoas elegantes. Empurrado pelos circunstantes, acabei por sentar-me a uma mesa, junto ao balcão; uma jovem bonita e pálida estava sentada num divã junto à parede; trajava um vestido de baile com grande decote e uma flor enfiada nos cabelos. Lançou-me um olhar observador e cordial ao me aproximar e, com um sorriso, chegou-se para o lado a fim de ceder-me lugar.

— Com licença? — perguntei, sentando-me ao seu lado.

— À vontade — disse ela. — Mas quem é você?

— Obrigado — respondi. — Não consigo ir para casa. Não quero, não quero, não posso. Quero ficar aqui, ao seu lado, se é que me permite. Não, não devo ir para casa.

Ela assentiu com a cabeça como se me compreendesse, e enquanto fazia isso observei a onda de cabelo que lhe ia da testa até atrás da orelha e descobri que a flor já murcha era uma camélia. No salão a música ressoava e diante do balcão as garçonetes transmitiam aos gritos os pedidos do público.

— Pode ficar aqui à vontade — disse, numa voz que me fez muito bem. — Por que não quer voltar para casa?

— Não posso. Tenho algo à minha espera. Não, não posso; é horrível.

— Pois deixe esperar à vontade e fique por aqui. Mas, antes de mais nada, vamos limpar esses óculos, que assim não vai conseguir ver nada. Empreste-me o lenço. Que vamos beber? Borgonha?

Limpou meus óculos e pude então vê-la melhor: o rosto pálido e a boca vermelha cor de sangue, os claros olhos cinzentos, a testa lisa e fresca, com a onda a cair-lhe sobre a orelha. Afável e com um toque de ironia, começou a deixar-me à vontade; pediu vinho, brindou comigo e olhou para os meus pés.

— Santo Deus! De onde está vindo? Parece até que veio a pé de Paris. Isso não é maneira de se vir a um baile.

Eu disse sim e não, sorri um pouquinho e deixei-a falar. Estava achando-a bastante encantadora, para surpresa minha, pois até então sempre olhara com desconfiança esta classe de moças. E foi muito bondosa comigo, começou a tratar-me da maneira que melhor me convinha naquele momento. E assim foi sempre a partir daquele instante! Tratou-me com a doçura de que eu necessitava e troçou de mim exatamente da maneira que convinha. Pediu um sanduíche e ordenou-me que o comesse. Serviu-me de vinho e mandou-me bebê-lo devagar e não de um trago. Depois, elogiou minha obediência.

— Estou vendo que é um bom menino — disse, para animar-me. — Não é de tornar as coisas difíceis. Mas sou capaz de apostar que há muito tempo não obedece a ninguém.

— Isso mesmo. Como soube?

— Não é difícil. Obedecer é assim como comer ou beber. Quando se passa muito tempo sem fazer uma ou outra coisa, não é preciso que insistam conosco. Não é verdade? Não ficou satisfeito de fazer o que lhe disse?

— Muito contente. Como sabe de tudo?

— Você é que facilita as coisas. Sou capaz talvez de lhe dizer o que está esperando em casa e o que tanto o angustia. Mas você sabe muito bem o que é e não precisamos falar no assunto, não é mesmo? Assunto desagradável! Ou a gente se enforca e está tudo muito bem, pois se deve ter lá suas razões para isso, ou então continua vivendo sem se preocupar senão com a vida. O negócio é esse!

— Ah! — exclamei —, se fosse simples assim! Deus sabe quanto tenho me preocupado com a vida e que isso de nada me serviu. Enforcar-se deve ser uma coisa difícil, suponho. Mas viver, viver é muito mais difícil! Só Deus sabe quanto é difícil!

— Verá como é sumamente fácil! Já começamos bem. Limpamos os óculos, você comeu, bebeu. Agora vamos escovar um pouco essas calças e sapatos e em seguida você vai dançar o *shimmy* comigo.

— Vai ver que eu tinha razão! — exclamei exaltado. — Nada mais desagradável para mim do que deixar de satisfazer um desejo seu. Mas não posso aceder ao que me pede. Não sei dançar o *shimmy*, nem a valsa, nem a polca, nem como se chamam todas essas outras; nunca aprendi a dançar em toda a minha vida. Agora está vendo que a coisa não é assim tão fácil quanto diz?

A bela jovem sorriu com os lábios cor de sangue e balançou a cabeça firme e resoluta. Enquanto a olhava, pensei ver nela alguma semelhança com Rosa Kreisler, a primeira jovem de quem me enamorei quando rapaz, só que Rosa tinha os cabelos castanhos e a pele morena. Não, não me lembrava com quem se parecia aquela estranha jovem; era alguém de minha primeira juventude, talvez de minha infância.

— Vamos com calma — disse —, muita calma! Então você não sabe dançar? Dança nenhuma? Nem mesmo o *one-step*? E não obstante andou aí dizendo que teve de lutar na vida! Esta é uma mentira da grossa, seu moço, e não fica bem fazer isso na sua idade. Como pode dizer que a vida lhe deu muito trabalho se você nem sequer sabe dançar?

— É que nunca aprendi. Não pude.

Ela sorriu.

— Mas aprendeu a escrever e a ler, não é verdade? E a somar, aprendeu latim e francês, possivelmente, e muitas outras coisas semelhantes... Aposto que passou uns 10 ou 12 anos na escola e estudou nela o possível, e talvez tenha até um título de doutor e conhece o chinês ou o espanhol. Ou não? Muito bem. Mas a verdade é que nunca dedicou um pouco de tempo nem dinheiro para aprender a dançar, hein?

— Foram meus pais — justifiquei-me. — Fizeram-me aprender o latim e o grego e todas essas coisas. Mas não me ensinaram a dançar, não era usual entre nós; eles próprios não sabiam dançar.

Olhou-me friamente, com muito desprezo, e em seu rosto voltou a brilhar algo que me recordou a infância.

— Agora põe a culpa nos pais! Será que perguntou a eles também se podia vir hoje ao Águia Negra? Perguntou? Está me dizendo que morreram há muito tempo? Ah! Talvez você não tenha aprendido a dançar em sua juventude por ser uma criança obediente. Embora eu não creia que você tenha sido uma criança-modelo. Mas, e depois, que foi que você fez durante tantos anos?

— Ah — confessei —, nem eu mesmo sei. Estudei, aprendi música, li, escrevi livros, viajei...

— Engraçada a ideia que você tem da vida! Sempre metido em coisas difíceis e complicadas, e não aprendeu as fáceis? Não teve tempo para isso? Tinha outras coisas para fazer. Bem, graças a Deus, não sou sua mãe. Mas agir assim, como se você já tivesse experimentado toda a vida e nela não encontrasse nada de interessante, isso não; isso não pode ser.

— Não ralhe comigo — supliquei. — Já sei que estou louco.

— Espere aí, não me venha com essa história. Não está nada louco, professor, até me parece que de louco não tem nada. É apenas racional de uma maneira estúpida, eis o que acho; exatamente como um professor. Vamos, coma outro sanduíche! Depois você me conta.

Pediu para mim outro sanduíche, deitou nele um pouco de sal, untou-o com mostarda, cortou um pedaço para si e me animou a que comesse a outra metade. Comi. Teria feito tudo o que me pedisse; tudo, menos dançar. Fazia-me muito bem estar-lhe obedecendo, sentar-me junto a alguém que pergunta, que ordena, que nos desnuda. Se o professor e sua senhora tivessem feito o mesmo comigo, algumas horas antes, ter-me-iam evitado muitas coisas. Mas, não, assim fora melhor; do contrário teria perdido muito mais!

— E como é que você se chama? — perguntou de repente.

— Harry.

— Harry? Que nome mais infantil! E continua sendo uma criança, Harry, apesar das mechas grisalhas do cabelo. É uma criança e precisa de alguém que vele um pouco por você. Não vou falar mais nada sobre a dança. Mas como está mal penteado! Não tem nem mulher, nem amante?

— Não tenho mulher, estamos separados. Tenho uma amante, mas não mora aqui. Só a vejo de quando em quando, não nos entendemos muito bem.

Ela resmungou.

— Você me parece uma pessoa muito difícil, pois ninguém para ao seu lado. Mas o que lhe aconteceu hoje de especial para fazê-lo correr assim tão desesperado? Brigou com alguém? Perdeu no jogo?

Aquilo era difícil de explicar.

— Veja só — comecei a dizer —, na verdade, não foi nada de grave. Fui convidado a jantar em casa de um professor (devo dizer-lhe que não sou professor), mas não devia ter ido; não estou acostumado a sentar-me entre as pessoas e conversar, já esqueci. Entrei na casa com a sensação de que algo não ia bem; e quando pendurei o chapéu no cabide veio-me logo a ideia de que breve iria precisar dele. Pois bem, havia na casa desse professor uma gravura, uma gravura estúpida, que muito me aborreceu...

— Que gravura? Por que se aborreceu? — perguntou, interrompendo-me.

— Bem, era um quadro que representava Goethe, sabe, o poeta Goethe. Mas não estava ali representado como ele foi mesmo. A rigor não se sabe muito bem como ele foi na realidade, pois há mais de cem anos que morreu. Mas algum pintor moderno pintou-o tão alambicado e penteadinho, conforme sua imaginação, que o retrato me irritou e achei-o odioso. Não sei se me compreende.

— Estou compreendendo perfeitamente, não se preocupe. Adiante!

— Já antes disso eu não estava lá muito de acordo com o professor. Como quase todos os professores, ele é um grande patriota e durante a guerra ajudou decididamente a enganar o povo, com as melhores intenções, é claro. Eu, ao contrário, sou inimigo da guerra. Mas deixemos isso de lado. Continuando a história, não havia a menor necessidade de estar olhando para o retrato...

— Claro que não.

— Mas, em primeiro lugar, causou-me pena por causa de Goethe, a quem tenho na mais alta das considerações, e, além disso, porque pensei: bem, estou aqui sentado entre pessoas que me parecem iguais a mim e que devem amar Goethe tanto quanto eu, e devem ter dele uma imagem igual àquela que tenho em meu espírito; e, no entanto, ali está aquele retrato sensaborão, falso e meloso, e o acham admirável e não têm a menor ideia de que o espírito desse retrato é exatamente o contrário do espírito de Goethe. Acham o quadro maravilhoso, da mesma forma como acham maravilhoso quase tudo quanto eu também estimo; mas a essa altura eu já perdera de vez toda a confiança, amizade e sentimento de afinidade que podia depositar nessas amáveis pessoas. Além do mais, minha amizade por eles não era lá grande coisa. De modo que fiquei indignado e triste e compreendi que estava completamente só e que ninguém me compreendia. Sabe o que quero dizer?

— Perfeitamente, Harry. E depois? Você quebrou o quadro na cabeça deles?

— Não, mas cheguei quase a insultar o professor, e me despachei dali, correndo. Queria ir para casa, mas...

— Mas lá não encontraria nenhuma mamãe que consolasse o nenenzinho ou que ralhasse com ele, não é? Sim, Harry, você chega a me dar pena. Nunca vi ninguém tão criança quanto você!

Também me parecia, tive de concordar. Deu-me um copo de vinho para beber. Estava comportando-se comigo como se fosse uma babá. Não obstante, eu ia aos poucos percebendo quanto era jovem e bonita.

— Acontece que — voltou ela a dizer — há mais de cem anos Goethe está morto e Harry o admira tanto que faz dele uma ideia maravilhosa, de como teria sido, e nisto está no seu direito, não é mesmo? Mas o pintor, que também admira Goethe e dele tem sua ideia, esse está errado assim como o professor, já que isso não agrada a Harry e o põe desesperado a ponto de insultar as pessoas e sair correndo! Se fosse uma pessoa normal, teria simplesmente rido do pintor e do professor. Se fosse louco, teria atirado o retrato na cabeça deles. Mas como não passa de um garotinho, só sabe correr para casa e pensar em matar-se. Olhe, compreendi muito bem sua história, Harry. É muito engraçada. Me faz rir. Espere aí, nada de beber de um só trago! O borgonha se bebe aos pouquinhos, senão dá muito calor. Puxa, a gente tem de ensinar tudo a você!

Seu olhar era severo e admoestador como o de uma governanta sessentona.

— Oh, por favor, senhorita — supliquei, contente. — Ensine-me tudo!

— Que você quer mais que lhe ensine?

— Tudo o que a senhorita houver por bem.

— Olhe, vou lhe dizer uma coisa. Há cerca de uma hora que o estou chamando com toda a intimidade de você e você ainda me vem com esse negócio de senhorita. Cheio de frases rebuscadas, sempre complicando as coisas. Quando uma pessoa trata a gente com intimidade e isso não nos desagrada, devemos tratá-la com intimidade também. Bem, já lhe ensinei uma coisa. Depois, em segundo lugar, há meia hora sei que se chama Harry. Sei porque lhe perguntei. Mas você nem sequer se interessou em saber meu nome.

— Oh, por favor, me interesso, sim; quero saber como se chama.

— Agora é tarde! Se nos encontrarmos de novo, pode então me perguntar. Hoje é que não digo. E agora vou dançar.

E como fizesse menção de levantar-se, meu ânimo abateu-se e a angústia tomou conta de mim, pois se ela se fosse e me deixasse só, tudo iria começar de novo. Como uma dor de dente que passa por um instante e depois volta a abrasar como fogo, assim reapareceram em mim a angústia e o horror. Oh, Deus, tinha conseguido esquecer, então, o que estava à minha espera? Podia esperar outra coisa?

— Espere — exclamei suplicante —, não se vá! Você pode dançar quanto quiser, mas volte depois para cá. Volte de novo, volte!

Levantou-se, sorrindo. Imaginava-a mais alta; era esguia, mas não muito alta. Voltou de novo a lembrar-me alguém. Quem seria? Não conseguia atinar.

— Volta? Promete?

— Prometo, mas isso pode durar um instante ou uma hora talvez. Quero dizer-lhe mais uma coisa: feche os olhos e descanse um pouco. É disso que você está precisando.

Afastei-me para que ela passasse, e a saia roçou-me os joelhos. Ao sair, olhou-se num espelhinho de bolsa, ergueu as sobrancelhas e passou a esponja pelo queixo; depois desapareceu no salão de baile. Olhei em meu redor: caras estranhas, homens fumando, cerveja derramada sobre o mármore das mesas, vozerio e algazarra por toda parte e música de dança em meus ouvidos. Eu devia dormir, tinha dito ela. Ah, boa menina, se você soubesse que o meu sono é tão arisco quanto uma doninha! Dormir em meio a este tumulto, sentado a uma mesa, entre o brindar dos copos de cerveja!... Sorvi um pouco do vinho, tirei um cigarro do bolso, procurei o fósforo, mas, como na realidade não tivesse nenhum desejo de fumar, pus o cigarro diante de mim sobre a mesa. "Feche os olhos", dissera. Sabe Deus por que a moça tinha aquela voz, uma voz tão bondosa, maternal. Fazia bem obedecer-lhe, isso eu já havia descoberto antes. Fechei os olhos, obediente, apoiei a cabeça na parede, ouvi o ruído de mil vozes que vinham chocar-se contra mim, achei graça na ideia de dormir naquele lugar, resolvi aproximar-me da porta do salão de baile e dar uma olhada lá dentro — queria ver minha formosa companheira dançando. Fiz um movimento para levantar-me e logo me dei conta de como estava exausto em razão de ter caminhado horas e horas e, por isso, permaneci sentado. E logo adormeci, como me fora ordenado pela voz maternal; dormi ansioso e agradecido, e sonhei, um sonho claro e belo, como há muito não me era dado sonhar.

Sonhei que estava sentado numa sala de espera já fora de moda. A princípio, sabia apenas que tinha uma entrevista marcada com alguma pessoa importante. Logo percebi que era o Sr.

von Goethe quem iria receber-me. Infelizmente, eu não estava ali em caráter pessoal, mas como correspondente jornalístico, o que muito me desagradava, e não podia compreender por que demônios me tinham metido naquela enrascada. Além disso, estava preocupado com um escorpião que aparecia de vez em quando e tentava subir-me pela perna. É certo que saberia defender-me contra o negro rastejante, mas não sabia agora onde se escondera e não me atrevia a procurá-lo.

Ademais, não estava muito certo se, por engano, me haviam anunciado a Matthisson, em vez de Goethe, a quem confundi de novo em sonhos com Bürger, pois lhe atribuía os poemas de Molly. Por outra parte, eu teria apreciado muito um encontro com Molly, pois a imaginava maravilhosa, delicada, musical. Se pelo menos não estivesse ali a mando daquele maldito jornal! Meu mau humor foi aumentando, aumentando, e pouco a pouco se concentrava sobre Goethe, a quem já intentava fazer várias reprovações. A entrevista talvez não se encaminhasse a bom termo. O escorpião, apesar de perigoso e escondido bem próximo de mim, talvez não fosse tão mau assim; pareceu-me que podia significar também algo amistoso, pareceu-me provável que tivesse algo a ver com Molly, ser uma espécie de enviado seu, ou uma fera heráldica, um belo e perigoso animal da feminilidade e do pecado. Não poderia chamar-se por acaso Vulpius? Mas nesse momento um criado abriu a porta, levantei-me e entrei.

Lá estava o velho Goethe, baixo e muito ereto, trazendo no peito clássico a enorme condecoração da Ordem da Estrela. Dava a impressão de que ainda governava, de que estava concedendo audiências, de que ainda controlava o mundo sentado em seu museu de Weimar. Pois mal olhou para mim, com um movimento de cabeça que lembrava um velho corvo, começou a falar pomposamente:

— Com que então, vós, os jovens, não tendes grande apreço por nós e pelos nossos esforços?

— Exatamente — disse eu, gelado pelo seu frio olhar ministerial. — Nós, os jovens, não estamos muito de acordo com Vossa Excelência. Sois demasiado solene para nós, demasiado vaidoso, demasiado autossuficiente e pouco sincero. Sem dúvida, este é o ponto capital: pouco sincero.

O homenzinho lançou a severa testa para a frente e enquanto sua boca dura e enrugada se distendia num leve sorriso e se tornava encantadoramente viva, o coração bateu-me com força, pois recordei a poesia "Desceu a tarde..." e que fora daquela boca e daquele homem que haviam brotado as palavras daquela poesia. Fiquei tão desarmado e vencido naquele instante que, sem dúvida, teria preferido ajoelhar-me diante dele. Mas me mantive de pé e ouvi-o dizer com um sorriso:

— Então o senhor me acusa de insinceridade? Isso é coisa que se diga! Tenha a bondade de fazer-se mais explícito!

Eu estava muito contente em poder fazê-lo.

— Como todos os grandes espíritos, Exmo. Sr. Goethe, o senhor claramente reconheceu e sentiu a dúvida e a desesperança da vida humana, com seus momentos de transcendência que vão afundar-se de novo na miséria, a impossibilidade de atingir-se a altura ideal dos sentimentos senão à custa de muitos anos de escravidão à labuta cotidiana; o ardente aspirar pelo reino do espírito em eterna luta mortal com o amor à perdida inocência da natureza, igualmente ardente e sagrado; todo esse temeroso oscilar no vazio e na incerteza, essa condenação ao transitório, incompleto, ao eternamente empírico e diletante; em suma, toda a falta de escopo a que o ser humano está condenado... para seu desespero devorador. O senhor reconheceu tudo isso e houve tempo em que também o confessou, e no entanto consagrou toda a sua vida a pregar o contrário, manifestando fé e otimismo e espalhando diante de si e dos demais a ilusão de que nosso esforço espiritual tinha algum significado e continuidade. O senhor fez ouvidos surdos àqueles que sondavam as profundezas e reprimiu as vozes dos que diziam a desesperada verdade, o que se aplica a Kleist e a Beethoven. Ano após ano, o senhor viveu em Weimar, a acumular conhecimentos e a colecionar objetos de arte, a escrever cartas e a coletá-las, como se tivesse em sua idade provecta encontrado o verdadeiro caminho para eternizar o instante, embora só pudesse mumificá-lo, e a tentar espiritualizar a natureza, embora só conseguisse ocultá-la sob uma bela máscara. Esta é a insinceridade que nós lhe reprovamos.

O velho conselheiro olhou-me, pensativo, nos olhos, enquanto sua boca continuava a sorrir.

Logo perguntou, enchendo-me de admiração:

— O senhor deve ter uma profunda objeção contra *A flauta mágica*, de Mozart, não?

E antes que eu pudesse responder, continuou:

— *A flauta mágica* apresenta-nos a vida como se fora um canto prodigioso, celebra nossos sentimentos, ainda que transitórios como são, como algo divino e eterno, não estando pois de acordo nem com o Sr. Kleist nem com o Sr. Beethoven, já que predica a fé e o otimismo.

— Já sei, já sei — gritei furioso. — Deus sabe que *A flauta mágica* que o senhor menciona é o que mais venero neste mundo! Mas Mozart não chegou aos 82 anos de idade, nem teve essas pretensões de continuidade, de ordem, de rígida dignidade que o senhor teve. Não se deu tanta importância! Compôs suas divinas melodias e morreu; morreu cedo, pobre e desconhecido...

O fôlego me faltava. Quisera dizer mil coisas em dez palavras. Minha testa começou a suar.

Goethe, no entanto, disse, muito amável:

— Pode parecer imperdoável que eu tenha chegado aos 82 anos. Minha satisfação relativamente a esse fato é, entretanto, muito menor do que o senhor imagina. Tem razão quando afirma que sempre tive um grande anseio de perdurar; sempre vivi em luta contra a morte, temendo-a sempre. Creio que a luta contra a morte, a obstinação absoluta de querer continuar vivo, seja a força motivadora que impulsiona as vidas e atividades de todos os homens representativos. Com meus 82 anos, meu jovem amigo, consegui provar apenas que o homem tem de morrer afinal, da mesma forma como poderia ter morrido quando era um estudante. Se servir de justificativa, queria dizer também que havia muito de infantilidade em minha natureza de curioso e muito desejo de matar o tempo em brincadeiras. E custei muito a dar-me conta de que o jogo haveria de acabar, afinal.

Ao dizer isso, sorria com muita sutileza, quase pilheriando. Sua figura tornara-se maior, desaparecera a rígida postura e a forçada dignidade de sua face. O ambiente que nos rodeava estava agora cheio de sonoras melodias e harmoniosos *lieder* de Goethe; ouvi distintamente a *Veilchen* (*Violetas*), de Mozart, e a *Füllest wieder Busch und Tal* (*De Novo Enches o Bosque e o Vale*), de Schubert. O rosto de Goethe estava agora corado e jovem, e sorria; parecia-se agora com Mozart, logo com Schubert, ou como se fora um irmão seu, e a roseta que havia em seu peito estava composta inteiramente de flores silvestres, com uma primavera amarela abrindo-se alegre e garbosa no meio delas.

Não me agradou de todo que o ancião estivesse fugindo às minhas perguntas e reprovações daquela maneira tão irônica, e olhei para ele com olhar de censura. A isso inclinou-se e, aproximando de mim a boca que se havia tornado inteiramente infantil, sussurrou ao meu ouvido:

— Meu amigo, levas o velho Goethe muito a sério. Não se devem tomar as pessoas idosas que já estão mortas demasiadamente a sério, pois seria cometer uma injustiça contra elas. Nós, os imortais, não gostamos de coisas que devem ser levadas a sério, preferimos gracejar. A seriedade, meu jovem, é uma consequência do tempo; consiste, permito-me confiar-lhe, numa superestimação do tempo. Eu também, em minha época, dei valor demais ao tempo, por isso queria viver cem anos. Mas na eternidade, como vês, não há tempo; a eternidade não é mais que um momento, cuja duração não vai além de um gracejo.

E, em verdade, já não se podia continuar falando a sério com o homem: dava pulos de contentamento, ágil e flexível, e logo deixou a primavera saltar de sua condecoração como se fosse um foguete para, em seguida, fazê-la encolher-se e desaparecer. Enquanto se exibia de um lado para outro com seus passos de dança e suas viagens, tive de admitir pelo menos que aquele homem não havia se esquecido de aprender a dançar. Fazia-o maravilhosamente. Então lembrei-me do escorpião, ou antes, de Molly, e perguntei a Goethe:

— Diga-me: Molly está aí?

Goethe riu sonoramente. Caminhou para a escrivaninha e abriu uma gaveta; tirou de dentro uma caixa de couro, ou de veludo, abriu-a e colocou-a diante dos meus olhos. Dentro havia uma diminuta perna de mulher, perfeita e brilhante, repousando sobre o escuro fundo da caixa, uma perna encantadora, um pouco inclinada no joelho, estirando o pé para baixo e com os delicados dedos em ponta.

Estendi a mão e quis apanhar a pequena perna, que tanto me havia encantado, mas quando quis tomá-la entre os dedos me pareceu que o brinquedinho se movia com imperceptível movimento, e de súbito assaltou-me a suspeita de que podia ser o escorpião. Goethe pareceu compreendê-lo; parecia mesmo que o tivesse feito de propósito, com o fito de provocar aquela febril dissensão entre o desejo e o temor. Estendeu o provocante escorpião muito próximo do meu rosto, me viu desejá-lo, me viu retroceder horrorizado, e isso parecia causar-lhe grande prazer. Enquanto me provocava com o objeto encantador e perigoso, voltara a tornar-se novamente velho, convertera-se num ancião de mil anos, com os cabelos brancos como a neve; e o rosto enrugado de ancião sorria sereno e silencioso, um riso que lhe comovia as entranhas com o insondável humorismo dos velhos.

Quando despertei, havia esquecido o sonho, do qual só me recordei mais tarde. Dormira mais de uma hora, em meio à música e à algazarra, na mesa de um salão, como jamais julgara possível. A adorável moça estava de novo diante de mim e sua mão repousava em meu ombro.

— Me dá dois ou três marcos — disse. — Tenho de pagar algo no salão.

Dei-lhe minha bolsinha de níqueis. Ela tomou-a, saiu, mas voltou em seguida.

— Bem, agora posso sentar-me com você um pouco, mas logo tenho de ir embora. Tenho um encontro.

Estremeci.

— Com quem? — perguntei com precipitação.

— Com um senhor, meu caro Harry. Convidou-me para irmos ao bar Odeon.

— Oh, pensei que você não me deixaria sozinho.

— Então, por que não me convidou? Alguém passou à sua frente. É bom, assim você economiza dinheiro. Conhece o Odeon? Depois da meia-noite só servem champanha; as poltronas são de veludo, tem uma orquestra de jazz, tudo muito elegante.

Eu jamais dera importância a tais coisas.

— Ah — disse, suplicante. — Mas eu quero convidá-la! Pensei que estivesse subentendido, agora que somos amigos. Escolha o lugar que bem lhe aprouver. Venha, por favor, eu lhe peço.

— Muito obrigada, mas acontece que palavra é palavra; já me comprometi com outro e tenho de ir. Mas não fique triste por isso! Vamos, beba outro gole; ainda há muito vinho na garrafa. Beba-o e depois vá tranquilo para casa. Prometa-me!

— Não, para casa não posso ir.

— Ah, voltamos à mesma história de sempre! Será que você não entra em acordo com Goethe? (Neste momento, recordei-me de meu sonho com Goethe.) Mas, se é verdade que não quer ir para casa, pois então fique aqui; eles alugam quartos. Quer que eu peça um para você?

A ideia agradou-me e perguntei-lhe quando voltaria a vê-la. Onde morava? Mas ela não me disse. Bastava procurá-la por aí que a acabaria encontrando.

— Posso convidá-la para irmos a um lugar?

— Que lugar?

— Qualquer um que você queira.

— Está bem. Terça-feira podemos jantar no Velho Franciscano, no primeiro andar. Nos encontramos lá.

Estendeu-me a mão e percebi que esta se casava perfeitamente com sua voz, formosa e cheia, sábia e bondosa. Ela sorriu irônica enquanto eu lhe beijava a mão.

E no último instante voltou-se de novo para mim e disse:

— Quero dizer-lhe mais uma palavra a propósito de Goethe. O que lhe aconteceu em relação a Goethe, de quem não pode suportar certas representações, acontece comigo em relação aos santos.

— Aos santos? Você é tão religiosa assim?

— Não, não sou religiosa, infelizmente, mas já fui, noutra época, e mais tarde voltarei a ser. Agora não tenho tempo para isso.

— Não tem tempo? É preciso tempo para ser religioso?

— Claro que sim. Para sermos religiosos, é preciso tempo, muito tempo. Ter independência de tempo! Não se pode ser formalmente religiosa e viver ao mesmo tempo na realidade e levar as coisas a sério: o tempo, o dinheiro, o bar Odeon e tudo mais.

— Compreendo. Mas o que foi que disse a propósito dos santos?

— Bem, há muitos santos pelos quais tenho devoção: Santo Estêvão, São Francisco e outros. Às vezes, vejo imagens deles e também do Salvador e da Virgem Santíssima, imagens tão piegas, tão falsas e estúpidas que não posso suportar, como lhe aconteceu com a gravura de Goethe. Quando vejo uma imagem tão melosa e apalermada do Salvador ou do Santo de Assis, que os outros acham tão devota e edificante, considero-a um insulto ao verdadeiro Salvador e penso: Ah! Ele viveu e sofreu tão terrivelmente para que as pessoas se contentem com uma estampa tão idiota? Apesar disso, sei também que a imagem que faço do Salvador ou de São Francisco não passa de uma imagem humana que não alcança nem de leve a imagem original, e que o Salvador, por sua vez, acharia a imagem interior que faço Dele tão estúpida e insuficiente quanto acho aquelas estampas medíocres. Estou-lhe dizendo isto não para lhe dar razão por seu mau humor e sua fúria contra o retrato de Goethe; não, nisso você não tem razão. Digo-lhe simplesmente para demonstrar-lhe que posso compreendê-lo. Vocês, os artistas e os eruditos, têm coisas singulares no miolo, mas no fundo não passam de pessoas iguais às outras, e nós também temos nossos sonhos e fantasias na cabeça. Também notei, ilustre senhor, que teve certa vacilação em me contar sua história sobre Goethe, que teve de esforçar-se para compartilhar suas ideias com uma moça simples como eu. Por isso quis demonstrar-lhe que não precisava esforçar-se tanto. Compreendo-o perfeitamente. Bem, já disse o que queria e agora você vai para a cama.

    Ela se foi e uma velha criada subiu comigo dois lances de escada. Primeiro perguntou-me onde estava minha bagagem, e quando se inteirou de que eu não trazia nenhuma, tive de pagar-lhe o pouso adiantado. Depois levou-me por uma escada velha e escura até um quarto e me deixou só. Ali havia uma cama de madeira estreita e dura, e da parede pendiam uma espada e um cromo de Garibaldi, além de uma coroa de flores murchas de alguma festa de associação. Eu teria dado tudo por um pijama. Mas ao menos havia água e uma pequena toalha, podia lavar-me; depois meti-me vestido na cama, deixei a luz acesa e tive tempo para refletir. Então acertei contas com Goethe. Fora esplêndido que me visitasse em sonhos. E aquela maravilhosa jovem, se pelo menos eu lhe soubesse o nome! De repente uma pessoa, uma pessoa viva percute a campânula de cristal da minha apatia e me estende a mão, uma mão boa, bela, cálida! De repente, voltam a surgir coisas que me afetam, nas quais posso pensar com alegria, com preocupação, com interesse! De repente, uma porta que se abre e por ela entra a vida para mim! Talvez possa voltar a viver, talvez possa voltar a ser gente. Minha alma, que havia tombado adormecida no frio e quase se enregela, respira de novo e volta a bater sonolenta as pequenas asas débeis. Goethe estivera comigo. Uma jovem me animara a comer, a beber e a dormir, se mostrara amável comigo, me havia sorrido e me chamara de criança tola. E aquela maravilhosa amiga me havia falado também sobre os santos e me mostrara que até em minha prodigiosa esquisitice eu não estava só, nem era incompreendido, nem era uma enfermiça exceção, mas que tinha irmãos que me compreendiam. Voltaria a vê-la? Com certeza! Podia confiar nela: "Palavra é palavra."

E antes que me desse conta, peguei no sono e dormi durante quatro ou cinco horas. Eram mais de dez da manhã quando acordei, com as roupas todas amarrotadas, exausto, e em minha cabeça a memória semiesquecida da sensação horrível do dia anterior; mas estava vivo, tinha esperança e felizes pensamentos. Ao voltar para casa, já não sentia aquele terror que teria sentido se houvesse regressado na véspera.

Na escada, no andar acima do pinheirinho, dei de encontro com a "tia", minha hospedeira, a quem via de raro em raro, mas cuja amistosa presença me era muito agradável. Tal encontro não fora muito oportuno, pois estava sujo e tresnoitado, despenteado e com a barba por fazer. Cumprimentei-a e quis passar adiante. Ela sempre respeitava meu desejo de estar sozinho e de não ser observado continuamente, mas hoje parecia ter-se rompido um véu entre mim e o mundo em redor, ter-se desmoronado a barreira — ela sorriu e permaneceu parada.

— Divertiu-se esta noite, hein, Sr. Haller? Não desfez a cama e decerto deve estar cansado, não?

— Sim — disse eu, e tive de sorrir também —, a noite de ontem foi animada e, como não quisesse interromper a paz de sua casa, acabei dormindo num hotel. Meu respeito pela calma e a honorabilidade de sua casa é muito grande, e às vezes me sinto como um "corpo estranho" nela.

— Não faça troça, Sr. Haller.

— Eu só faço troça de mim mesmo.

— Pois não devia fazê-lo. Não devia sentir-se em minha casa como um "corpo estranho". Pode viver como melhor lhe convenha e fazer o que bem entenda. Já tive muitos inquilinos distintos, verdadeiras joias de amabilidade, mas nenhum era tão sossegado ou nos incomodou menos que o senhor. E agora, quer tomar uma chávena de chá?

Não me opus. Na sala de jantar, entre formosos retratos de seus antepassados e os móveis de seus avós, tomei um chá excelente e conversamos um pouco; a amável senhora, sem que o perguntasse expressamente, ficou sabendo algumas coisas a respeito de minha vida e de meus pensamentos, e ouviu-me com esse misto de respeito e de indulgência maternal que as mulheres prudentes têm para com as complicações dos homens. Falou-me também de seu sobrinho e me mostrou num quarto contíguo o trabalho que este fizera durante as últimas férias: um aparelho de rádio. Ali o esforçado jovem passava seus momentos de ócio e montara aquela máquina, seduzido pela telegrafia sem fio, prostrado de joelhos diante do deus da técnica, cujo poder possibilitou o descobrimento, após milhares de anos, de um fato que todos os pensadores sempre souberam e do qual fizeram melhor uso do que neste recente e muito imperfeito estágio atual. Falamos a propósito disso, pois a senhora era inclinada à devoção, e os temas religiosos não lhe eram desagradáveis. Disse-lhe que a onipresença de todas as forças e ações era bem conhecida pelos antigos hindus, e a técnica havia simplesmente trazido um pouco desse fato à consciência comum e por esse meio, no que se refere às ondas sonoras, havia construído um emissor e um receptor que ainda estavam totalmente imperfeitos. A base daquela ideia antiga, a irrealidade do tempo, não fora ainda observada pela técnica, mas naturalmente viria a ser finalmente "descoberta" e cairia nas mãos dos laboriosos engenheiros. Seria descoberto, talvez muito em breve, pois não só as imagens e acontecimentos presentes e momentâneos poderiam chegar continuamente até nós, como a música de

Paris ou de Berlim se faz agora audível em Frankfurt ou em Munique, mas também tudo o que já aconteceu fica registrado e pode tornar-se atual; e que um dia, com fios ou sem eles, com ou sem ruídos, chegaremos a ouvir a voz do rei Salomão ou a de Walther von der Vogelweide. E que tudo isso, como hoje os primórdios do rádio, só servirá ao homem para fugir de si mesmo e de sua meta e envolver-se numa rede cada vez mais cerrada de distrações e ocupações inúteis. Mas disse todas essas coisas não no costumeiro tom de amargura e desdém contra os tempos atuais e a técnica, mas em tom de pilhéria e com ar brincalhão; a senhora se ria e passamos assim uma hora juntos, a tomar chá e a nos divertirmos.

Havia convidado a admirável jovem do Águia Negra para a noite de terça-feira, e não me foi fácil esperar que chegasse aquele dia; quando por fim chegou a terça-feira, tive perfeita noção da importância que tinham para mim as relações com aquela moça, uma simples desconhecida, e isso me encheu de espanto. Só pensava nela, e esperava tudo dela, estava disposto a sacrificar-lhe tudo e pôr tudo a seus pés, embora não estivesse em absoluto enamorado dela. Bastava imaginar que não compareceria ao encontro ou que dele se houvesse esquecido, para ver claramente o que ela representava para mim; o mundo me parecia então novamente vazio, os dias eram escuros e destituídos de encanto, voltavam a envolver-me a cruel quietude e a morte, e não via outra saída daquele inferno silencioso senão a navalha de barbear. E a navalha de barbear não fora nada agradável para mim nestes dias, não havia perdido nada de seu antigo horror. Isto era exatamente o mais terrível: sentia uma profunda e opressiva angústia em cortar a garganta, temia a morte como uma força obstinada e selvagem, como se fosse o homem mais saudável do mundo e minha vida um verdadeiro paraíso. Conhecia meu estado com plena e brutal clareza e reconhecia que a tensão insuportável entre o não poder viver e o não poder morrer era o que me fazia dar tanta importância à desconhecida, à bela dançarina do Águia Negra. Era a única janela, a luminosa e diminuta abertura em minha sombria e angustiosa caverna. Era a salvação, o caminho para a liberdade. Haveria de ensinar-me a viver ou ensinar-me a morrer, haveria de tocar com sua mão firme e formosa meu coração transido, para que ele, em contato com a vida, de novo florescesse ou se tornasse em cinzas. De onde tirava ela essa força, de onde lhe vinha a magia, de que profundos abismos se elevava até ela essa profunda significação que tinha para mim? Não sabia e não me importava sabê-lo. Bastava-me saber de sua existência. Nenhuma ciência, nenhum conhecimento me importara tanto; estava saciado deles, precisamente nisto consistia a ignomínia e o tormento mais agudos de que eu padecia: ver tão claramente meu próprio estado, ter perfeita consciência dele. Via a este infeliz, a este Lobo da Estepe diante de mim, como uma mosca numa teia de aranha, e contemplava como seu destino forçava o desenlace, como pendia da teia enlaçado e indefeso, como a aranha se dispunha a devorá-lo, como aparecia também uma salvadora mão. Poderia dizer as coisas mais racionais e inteligentes sobre a concatenação e os motivos do meu padecimento, da enfermidade de minha alma, de meu enfeitiçamento e de minha neurose, pois a mecânica era evidente para mim. O que mais me fazia falta, aquilo por que suspirava tão desesperadamente, não era saber e compreender, mas vida, decisão, movimento e impulso.

Embora durante aqueles dois dias de espera nunca duvidasse de que minha amiga cumpriria o prometido, às últimas horas estive muito excitado e inseguro; nunca na vida esperara com tamanha ansiedade a noite de nenhum dia. E embora a tensão e a impaciência se me tornassem quase insuportáveis, aquilo me causou um grande bem: era indizivelmente formoso e novo para mim, para o desiludido que há muito tempo nada mais esperava, que não se satisfazia com o que quer que fosse; era maravilhoso correr daqui para ali o dia todo, cheio de impaciência, de inquietude e veemente expectativa, imaginar antecipadamente o encontro, a conversação, os acontecimentos da noite, barbear-se e vestir-se para o encontro (com muito apuro, camisa nova, gravata nova, cordões novos nos sapatos). Fosse quem fosse aquela moça inteligente e misteriosa, que tivesse chegado até mim por este ou aquele caminho, tudo me era indiferente; ali estava, e realizara-se o prodígio de eu voltar a sentir-me um ser humano e encontrar novamente interesse na vida! Só me importava que tudo prosseguisse, abandonar-me àquela atração, seguir aquela estrela!

Momento inesquecível em que tornei a vê-la! Estava sentado junto a uma mesinha no antigo e confortável restaurante, a qual eu reservara pelo telefone, sem que houvesse necessidade; examinei o cardápio e coloquei no jarro duas formosas orquídeas que comprara para presentear minha amiga. Tive de esperá-la algum tempo, mas sempre na certeza de que viria, e não me angustiei. E chegou, e deteve-se junto ao vestiário e me cumprimentou somente com um olhar atento, um tanto inquisitivo, de seus claros olhos cinza. Desconfiado, fiquei observando como o moço do vestiário se comportaria com ela. Não, graças a Deus não houve qualquer intimidade entre eles, qualquer falta de respeito; mostrou-se impecavelmente correto. E no entanto se conheciam, pois ela o chamou por Emil.

Quando lhe dei as orquídeas, alegrou-se e sorriu.

— Muito obrigada pela sua atenção, Harry. Você queria me dar um presente, não é? E não sabia exatamente o que escolher. Não estava certo se eu ficaria satisfeita em receber o presente ou se me ofenderia, por isso escolheu orquídeas, que não passam de flores, mas são sempre muito apreciadas. Portanto, muito, muito grata. E aproveito para dizer-lhe que não quero que me traga presentes. Vivo à custa dos homens, mas não quero viver à sua custa. Mas como você está diferente! Parece até outra pessoa! Outro dia estava como alguém que foi salvo da forca e agora já está quase um homem outra vez. Bem, diga-me: fez o que lhe ordenei?

— Que foi que você me ordenou?

— Você se esqueceu? Estou perguntando se aprendeu a dançar o fox. Você disse que tudo o que desejava era receber ordens minhas, que nada lhe era mais agradável do que obedecer-me. Não se recorda?

— Recordo-me, sim! E volto a repetir. Com toda sinceridade.

— E então, aprendeu a dançar?

— Mas pode-se aprender com tanta rapidez, assim de um dia para o outro?

— Claro que sim. Numa hora se pode aprender o fox; o *boston*, em duas. O tango demora mais, mas este não precisa aprender.

— Agora queria saber, afinal, como é seu nome.

Olhou para mim silenciosa um momento.

— Acho que você será capaz de adivinhá-lo. Gostaria muitíssimo que adivinhasse. Preste bastante atenção e olhe bem para mim! Você às vezes não acha que tenho feições de rapaz? Agora, por exemplo.

Sim, agora que me fixava bem, podia assegurar que a moça tinha feições de rapaz! E enquanto o examinava, aquele rosto começou a falar-me e recordou minha própria infância e um amigo daquela época que se chamava Hermann. Por um momento, pareceu-me converter-se inteiramente naquele Hermann.

— Se você fosse homem — disse, assombrado —, diria que seu nome é Hermann.

— Quem sabe, talvez eu seja um homem e esteja simplesmente disfarçada — disse ela, em tom jocoso.

— Seu nome é Hermínia?

Assentiu, resplandecente, alegre por eu ter adivinhado. Naquele instante serviram sopa, começamos a jantar, e ela mostrou-se infantilmente satisfeita. O que mais me agradava nela, o que mais me encantava, era que podia passar de repente da mais profunda seriedade para a alegria mais regozijante, e vice-versa, sem a menor dificuldade, como se fosse um menino-prodígio. Neste momento parecia divertir-se, logo zombava de mim por causa do foxtrote; até me deu um pequeno toque com o pé, elogiou a ceia com entusiasmo, notou que eu me preocupara em vestir-me bem, mas que havia muitos detalhes a corrigir nas minhas arrumações.

Numa pausa perguntei-lhe:

— Como você conseguiu num instante parecer-se tanto com um rapaz e que eu pudesse adivinhar seu nome?

— Oh, foi você mesmo quem o fez. Não compreende, meu ilustre senhor, que eu lhe agrado e tenho importância para você exatamente por ser como um espelho seu, porque dentro de mim há algo que responde e compreende o seu ser? Na verdade, todos os homens deveriam ser espelhos uns dos outros e responder-se e compreender-se mutuamente; mas os esquisitões como você são um tanto estranhos e caem facilmente no engano de acreditar que não podem mais ler nem ver nada nos olhos dos demais, que isso já não lhes diz respeito. E quando um esquisitão encontra de repente um rosto que o contempla de verdade, sente nele algo assim como uma resposta e um parentesco, e se alegra, naturalmente.

— Você sabe tudo, Hermínia! — exclamei assombrado. — E tudo é exatamente como você diz. E, no entanto, você é tão diferente de mim! É o contrário de mim; tem tudo o que me falta.

— É bom que você pense assim — disse laconicamente.

E aí passou por seu rosto, que me parecia mesmo um espelho mágico, uma pesada nuvem de seriedade, e de súbito aquele rosto falou não só com seriedade, tragicamente, mas também insondavelmente, como através dos olhos vazios de uma máscara. Lenta, palavra por palavra, como se falasse contra a vontade, disse:

— Não se esqueça daquilo que me disse! Que eu devia mandar em você, e que lhe seria uma alegria obedecer às minhas ordens. Não se esqueça disso! Saiba de uma coisa, meu pequeno Harry: assim como há algo em mim que corresponde a você e lhe inspira confiança, o mesmo se dá comigo em relação a você. Outro dia, quando o vi entrar no Águia Negra, exausto e ausente, como se não pertencesse a este mundo, senti imediatamente: este homem me obedecerá, está desejando que eu lhe dê ordens. E isso é o que farei. Para isso foi que eu vim. Para isso ficamos amigos.

Falou com tamanha seriedade, tão dentro de um impulso profundo de sua alma, que não procurei nem tranquilizá-la nem dissuadi-la. Ela balançou a cabeça, franziu o cenho e com um olhar dominante e a voz inteiramente fria continuou:

— Você terá de manter sua palavra, meu pequeno, pois do contrário se arrependerá. Receberá ordens minhas e terá de cumpri-las, todas, ordens agradáveis e belas; será para você um prazer cumpri-las. E por fim terá de obedecer ao meu último comando, Harry.

— Obedecerei — disse eu, concordante. — E qual será sua última ordem para mim?

Eu quase o suspeitava, Deus sabe por quê. Ela estremeceu e parecia despertar lentamente de seu ensimesmamento. Seus olhos não me abandonavam. Logo se tornaram mais sinistros.

— Seria mais prudente não lhe dizer nada. Mas não quero ser prudente, Harry; desta vez não quero. Quero o contrário. Escute! Você vai ouvir, terá logo de esquecer-se do que ouviu, achará graça nisto, chorará por causa disto. Preste atenção, pequeno! Quero brincar com você na vida e na morte, meu irmão, e antes de começarmos a jogar vou colocar minhas cartas sobre a mesa.

Que formoso era seu rosto, que celestial estava ao dizer isso! Nos olhos frios e claros flutuava uma tristeza de quem sabe; aqueles olhos pareciam já ter sofrido todas as dores imagináveis e aquiescido nelas. Seus lábios falavam com dificuldade, como se fala quando o frio nos intumesce o rosto; mas entre os lábios, nas comissuras da boca, no voltear da ponta de sua língua que raramente se deixava ver, havia, em contradição com o olhar e com a voz, uma doce sensualidade jubilosa de íntimo regozijo. Sobre a fronte serena e lisa pendia um cacho, e dali, daquele trecho da face onde pendia o anel de cabelos, manava de quando em quando, como um hálito vivo, aquela vaga semelhança de rapaz, de magia hermafrodita. Eu a ouvia cheio de angústia e, no entanto, como aturdido, como meio ausente.

— Você gosta de mim — prosseguiu — pelos motivos que já lhe disse: consegui romper sua solidão, porque o arranquei das próprias portas do inferno e consegui despertá-lo. Mas quero algo mais de você, muito mais. Quero que você se apaixone por mim. Não, não me interrompa, deixe-me falar! Você me aprecia muito, já sei, e está agradecido, mas ainda não está apaixonado por mim. Quero que você fique, e isso faz parte do meu plano.

Só vivo para que os homens se apaixonem por mim. Mas, preste atenção, não faço isso por achar você encantador. Eu não estou mais apaixonada por você, Harry, do que você por mim. Mas necessito de você como você necessita de mim. Necessita de mim agora, neste momento, porque está desesperado e necessita de alguém que o empurre para a água que lhe devolverá a vida. Precisa de mim para ensiná-lo a dançar, a rir, a aprender a viver. Mas eu não preciso de você hoje, e sim mais tarde; para algo muito importante e maravilhoso. Quando você estiver apaixonado, eu lhe darei minha última ordem, e você terá de obedecer, e isso será proveitoso tanto para você quanto para mim.

Consertou na jarrinha uma das orquídeas violeta-escuro de hastes esverdeadas; inclinou o rosto um momento e olhou fixamente para a flor.

— Não lhe será fácil, mas terá de fazê-lo. Terá de cumprir minha ordem: terá de matar-me! É isso. Não me pergunte mais nada!

Com os olhos ainda fitos na orquídea, emudeceu; o rosto distendeu-se-lhe como um botão que floresce e, de súbito, apareceu um sorriso encantador em seus lábios, ao passo que os olhos permaneceram fixos e alheios por uns instantes. Logo ergueu a cabeça movendo o pega-rapaz, bebeu um gole d'água, deu-se conta de que estávamos jantando e inclinou-se sobre o prato com alegre apetite.

Eu escutara palavra por palavra sua inquietante exposição, pressentira mesmo o significado de sua última ordem antes que ela a houvesse pronunciado e não me assustei ao ouvi-la dizer: terá de matar-me.

Tudo o que disse soou-me convincente e predestinado; aceitei-o e não me opus a isso; e, no entanto, apesar da crua seriedade com que ela o pronunciara, tudo aquilo para mim carecia de realidade, não o podia levar a sério. Uma parte de minha alma bebeu suas palavras e acreditou nelas, mas a outra acudiu conciliadora e veio assegurar-me que também esta prudente, sadia e segura Hermínia tinha seus momentos de devaneio e seus estados nebulosos. Mal terminara de pronunciar suas últimas palavras, um véu de irrealidade e inexistência baixou sobre elas.

Não obstante, eu não podia ir de um polo ao outro assim com a mesma rapidez com que Hermínia o fazia.

— Um dia terei de matá-la? — perguntei, ainda meio em sonho, enquanto ela ria, e trincava o pato com grande satisfação.

— Sem dúvida — disse —, mas não vamos voltar ao assunto, pois estamos jantando. Seja bonzinho e peça agora um pouco mais de salada para mim. Não está com apetite? Acho que lhe falta ainda aprender aquilo que é natural nas outras pessoas, como por exemplo o prazer de comer. Veja só este peito de pato: quando se separa a carne branca e deliciosa do osso, é como se fosse uma festa! Deve ser para o nosso coração tão apetitoso, emocionante e sensível quanto para um jovem ajudar pela primeira vez a namorada a tirar o casaco. Compreendeu? Não? Você é burrinho mesmo. Aqui: vou lhe dar um pedacinho desta carne para você provar. Assim, abra a boca! Oh, que bobão você é! Fica olhando em torno para ver se estão observando você comer do meu garfo! Não ligue para isso, filho pródigo, não farei um escândalo. Mas pobre daquele que não pode se dar a um prazer sem pedir antes a permissão dos outros.

A cena que se passara antes tornava-se cada vez mais irreal. Cada vez mais me era difícil acreditar fossem os mesmos aqueles olhos que um momento antes se mantiveram fixos como numa obsessão de horror. Mas neste particular Hermínia era como a própria vida: não se podia antecipá-la, era sempre o momento presente. Agora comia e levava a sério a carne do pato e a salada, a torta e o licor; fazia deles objetos de alegria e raciocínio, de conversação e fantasia. Quando retiraram os pratos, começou um novo capítulo. Aquela mulher, que tão completamente havia penetrado em mim, que parecia saber mais a respeito da vida do que todos os sábios, continuava menina, continuava vivendo cada minuto com tal arte que havia feito de mim um discípulo incondicional. Quer fosse alta perspicácia quer simples ingenuidade, quem vivia assim tão no presente e sabia apreciar tão cuidadosa e amigavelmente cada florzinha do caminho, estava acima de tudo, e a vida nada podia contra ela. E dizer que a alegre criatura, com sua gula infantil, era ao mesmo tempo uma sonhadora e uma histérica, que desejava a morte, ou uma fria calculista, que queria fascinar-me consciente e friamente e fazer de mim seu escravo!... Isto não podia ser. Não, seu abandono ao momento era tão simples e tão completo que estava aberta por inteira ao mesmo tempo a todo acontecimento prazeroso como a todo horror negro e fugitivo que proviesse dos mais profundos recessos de sua alma; e tudo saboreava, até o fim.

Embora fosse aquela a segunda vez que eu me encontrava com Hermínia, ela tudo sabia a meu respeito, e pareceu-me inteiramente impossível que lhe pudesse ocultar qualquer segredo. Talvez não chegasse a compreender por completo minha vida espiritual; talvez não conseguisse acompanhar-me nas minhas relações com a música, Goethe, Novalis ou Baudelaire. Mas isso também era um ponto discutível; talvez não tivesse mais trabalho nisso do que em relação aos demais. E, afinal de contas, que restara de minha *vida espiritual*? Não estava toda em pedaços? Não perdera o sentido? Mas, quanto ao resto, aos meus problemas pessoais, meus anseios, não tinha dúvida de que ela os compreendia bem. Em breve falaria com ela a propósito do Lobo da Estepe, do tratado, de tudo aquilo que até então só existira para mim e a cujo respeito nunca dissera uma palavra a quem quer que fosse. De fato, não consegui resistir à tentação de tocar no assunto imediatamente.

— Hermínia — disse —, há pouco me sucedeu uma coisa extraordinária. Um desconhecido me entregou um folheto impresso, como esses livretes que se compram nas feiras, e nele vi descrita toda a minha história e tudo quanto me diz respeito. Você não acha isso uma coisa prodigiosa?

— Como se chama o folheto? — perguntou casualmente.

— Intitula-se *Tratado do Lobo da Estepe*.

— Oh, Lobo da Estepe é excelente! E o Lobo da Estepe é você? Aplica-se a você?

— Sim, sou eu. Sou uma espécie de meio-lobo, meio-homem, ou pelo menos alguém que se imagina assim.

Não respondeu. Olhou-me inquisidoramente nos olhos, examinou-me as mãos, e por um momento seu olhar e seu rosto refletiram de novo aquela profunda seriedade e a sombria paixão que neles vira antes. Certo, adivinhei-lhe o pensamento, de que ela estava avaliando se eu seria suficientemente lobo para levar a cabo sua última vontade.

— Naturalmente, é uma ilusão sua — disse, voltando a mostrar-se alegre — ou, se prefere, uma ilusão poética. Mas há algo de real. Hoje você não é lobo; mas no outro dia, quando entrou no salão, como caído do céu, parecia um animal selvagem; e foi precisamente por isso que você me agradou.

Interrompeu-se com uma ideia repentina, e disse, meio confusa:

— Soam tão absurdas palavras assim como *animal* ou *besta*. Não se devia falar dos animais desta maneira. Podem ser terríveis, às vezes, mas sem dúvida são muito mais justos que os homens.

— Que entende você por justo?

— Bem, veja um animal qualquer, um gato, um cachorro, um pássaro ou um desses belos animais maiores do zoológico, um puma ou uma girafa. Terá de admitir que todos são justos, que nenhum animal se mostra indeciso ou ignora o que tem de fazer ou como se há de comportar. Não procuram impressionar-nos nem representar para nós. Nada de teatro. São como são, como as pedras ou as flores, ou como as estrelas do céu. Não concorda?

Eu concordava.

— Em geral, os animais são tristes — prosseguiu. — E quando um homem está triste... bem entendido, não quando sente uma dor de dentes ou tenha perdido dinheiro... mas porque vê, por uma hora, como é tudo, como é a vida, e está triste de verdade, sempre se parece um pouco com os animais. Então se mostra não apenas triste, mas também mais justo e mais belo que de hábito. É assim que vejo a coisa, Harry, e foi assim que o vi, Lobo da Estepe, a primeira vez que você apareceu.

— Mas, Hermínia, o que você acha afinal do livrinho em que me senti retratado?

— Oh, não sei ficar sempre pensando. Falaremos sobre isso numa outra ocasião. Você podia deixar o livro comigo para ler. Mas, não, se voltasse novamente a ler, gostaria de ler um dos seus próprios livros.

Pediu um café e permaneceu um instante como despreocupada de tudo. Mas de repente resplandeceu e pareceu ter encontrado a chave de suas especulações.

— Pronto! — exclamou, alegre. — Achei a solução!

— Qual?

— A do foxtrote. Estive pensando nisso a tarde inteira. Diga-me uma coisa: você tem um quarto onde se possa dançar de vez em quando? Não importa que seja pequeno, mas principalmente que não haja ninguém no andar de baixo que possa achar ruim por causa do barulho. Pois, ótimo, então! Você pode aprender a dançar em sua própria casa.

— Sim — disse eu timidamente —, é o melhor. Mas acho que vamos precisar também de música.

— É claro. Mas música se pode comprar, e sai mais barato que pagar um curso de dança em casa de uma professora. Assim você economizará a professora, porque eu vou dar as aulas, e no fim acaba ainda ficando com o gramofone.

— Gramofone?

— Sim, um gramofone. Você vai comprar um portátil e alguns discos.

— Magnífico! — exclamei. — Se você conseguir ensinar-me a dançar vai receber o gramofone em pagamento. De acordo?

Disse isso com ânimo, mas a frase não me saiu do coração. Não podia imaginar aquele aparelho tão pouco simpático para mim, em meu quarto de estudos, entre meus livros, e de modo algum estava em bons termos com a dança. Podia tentar uma vez, pensei, embora estivesse convencido de que era velho e duro demais para aprender a dançar. Sentia que em meu interior se erguiam, como antigo conhecedor e amante da música, todas as diatribes que antes lançara contra os gramofones, o jazz e a moderna música de dança. Pensar que alguém pudesse me pedir que tivesse em meu quarto, ao lado de Novalis e Jean-Paul, em meu tugúrio de pensamento e de reflexão, um gramofone a tocar música de dança americana e que teria de dançar, tudo isso era certamente duro demais para que eu pudesse suportá-lo. Mas não era alguém que me pedia; era Hermínia quem pedia. Por isso obedeci. Naturalmente que obedeci!

Encontramo-nos no dia seguinte pela tarde em um café. Hermínia já estava lá quando cheguei; tomava chá e me mostrou sorridente um jornal, onde havia encontrado meu nome. Era um jornal de meu país, reacionário e provocador, no qual, de vez em quando, apareciam artigos ignominiosos contra mim. Durante a guerra, eu me mantive antibelicista; depois da contenda incitei os homens à paz, à paciência e ao humanitarismo, a examinarem-se a si mesmos, e por isso tivera de enfrentar a reação nacionalista, cada dia mais acirrada, mais obstinada e selvagem. Lá estava um novo ataque muito mal escrito composto parte de redação, parte plagiando outros artigos da imprensa afim. É sabido que ninguém escreve pior do que os partidários das velhas ideologias, das ideias decrépitas; ninguém exerce sua profissão de jornalista com menos dignidade e consciência. Hermínia lera o artigo e por ele se informara que Harry Haller era um inseto nocivo e um homem que renegava sua própria pátria e que naturalmente esta não poderia suportar a existência de homens semelhantes e permitir a difusão de tais pensamentos que inclinavam a juventude para ideias sentimentais de humanitarismo em vez de nela suscitar um bélico furor contra o inimigo secular.

— Trata-se de você? — perguntou Hermínia, assinalando meu nome. — Então você tem inimigos a valer, Harry. Isso não o aborrece?

Li algumas linhas; era o mesmo de sempre, e cada um daqueles vitupérios estereotipados já me eram conhecidos desde muito até a saciedade.

— Não — disse —, não me aborrece, já estou acostumado. Venho manifestando já por vezes minha opinião de que cada povo e até cada indivíduo, em vez de sonhar com falsas "responsabilidades" políticas, devia refletir a fundo sobre a parte de culpa que lhe cabe da guerra e de outras misérias humanas, quer por sua atuação, por sua omissão ou por seus maus costumes;

este seria provavelmente o único meio de se evitar a próxima guerra. E por isso não me perdoam, pois se julgam todos, sem dúvida, inocentes: o *Kaiser*, os generais, os grandes industriais, os políticos, os jornalistas... nenhum deles tem absolutamente nada de que se recriminar, ninguém tem culpa alguma! Poder-se-ia até pensar que tudo foi melhor assim para o mundo, embora alguns milhões de mortos estejam embaixo da terra. E saiba, Hermínia, embora esses artigos ignominiosos não me possam atingir, às vezes me entristecem. Dois terços da gente do meu país leem esta espécie de jornal; leem de manhã e à noite coisas escritas neste tom, são trabalhados permanentemente, incitados, açulados; semeiam-se neles o descontentamento e a maldade, e a meta final de tudo isso é outra vez a guerra, a próxima guerra, que já está chegando e que, sem dúvida alguma, será muito mais horrenda do que a última. Tudo isso é claro e simples, qualquer pessoa pode compreendê-lo; com uma hora de meditação todos poderiam chegar ao mesmo resultado. Mas ninguém quer agir assim, ninguém quer evitar a próxima guerra, quer livrar-se nem livrar a seus filhos da morte aos milhares, nem quer parar um instante e pensar voluntariamente. Uma hora de reflexão, um momento de entrar em si mesmo e perguntar pela parte de culpa que lhe cabe nesta desordem e na maldade que impera no mundo... mas ninguém quer fazê-lo! E assim tudo continua como estava e a próxima guerra vai-se preparando cada dia que passa, com o auxílio de milhares e milhares de pessoas diligentes. Estas coisas sempre me desesperaram: para mim não existe "pátria", não existe "ideal" algum. Tudo isso não passa de frases inculcadas por aqueles que preparam a próxima carnificina. Não tem sentido pensar ou escrever algo que seja humano, de nada vale ter boas ideias na mente... são duas ou três pessoas que agem assim; em compensação, há milhares de jornais, de revistas, de conferências, reuniões públicas ou secretas que, dia após dia, insistem no contrário, e acabarão por alcançá-lo.

Hermínia permaneceu ouvindo com interesse.

— Sim — disse em seguida —, você tem razão. Naturalmente, haverá outra guerra; não é preciso ler nos jornais para saber. É certo, embora isso nos entristeça, que o homem, apesar de tudo e de todos, apesar do que possa fazer, o homem tem inevitavelmente de morrer. A luta contra a morte, meu caro Harry, é sempre uma coisa bela, nobre, prodigiosa e digna, da mesma forma que a luta contra a guerra. Mas há de ser sempre uma quixotada sem esperanças.

— Talvez seja verdade — exclamei, enérgico —, mas com verdades semelhantes a esta de que temos todos de morrer e que, por conseguinte, tudo é igual é que convertemos a vida em algo monótono e estúpido. Desta forma teremos de renunciar a tudo, ao espírito, às aspirações; teremos de destruir a humanidade, teremos de permitir que reine o egoísmo e o dinheiro e esperar a próxima guerra com um copo de cerveja à mão.

Estranho foi o olhar que Hermínia me dirigiu; um olhar de regozijo, cheio de ironia e malícia, de compreensão e camaradagem, mas também cheio de arrogância, de consciência e de profunda seriedade.

— Isso não se aplica a você — disse em tom maternal. — Sua vida não será monótona nem estúpida, embora saiba que sua luta é inútil. É muito mais lisonjeiro, Harry, lutar-se por alguma coisa bela e ideal e saber ao mesmo tempo que não se conseguirá alcançá-la. Os ideais serão algo que se possa alcançar? Viveremos para acabar com a morte? Não, vivemos para temê-la e também para amá-la, e precisamente por causa da morte é que nossa vida vez por outra resplandece tão radiosa num breve instante. Você é uma criança, Harry.

Seja obediente e venha comigo, temos muito o que fazer. Hoje não quero me preocupar mais com a guerra nem com os jornais. E você?

— Oh, não! Eu tampouco estava disposto a isso.

Saímos juntos — era a primeira vez que saíamos juntos pela cidade — e fomos a uma loja de discos onde vimos alguns gramofones, os quais abrimos e fechamos, fizemos funcionar, e quando achamos um que nos agradou pela sua qualidade e preço, quis comprá-lo, mas Hermínia não estava disposta a adquiri-lo com tanta rapidez. Sustou minha intenção e lá fui visitar com ela uma outra loja, em que nos mostraram e testamos todos os modelos existentes, do mais caro ao mais barato, para que ela finalmente se decidisse pelo que tínhamos visto na primeira casa. Voltamos lá e compramos o aparelho.

— Está vendo? — disse eu. — Teria sido mais simples se já o tivéssemos comprado.

— Você acha? Talvez nos arrependêssemos ao ver o mesmo aparelho em outra vitrine a 20 francos mais barato. Além disso, é gostoso visitar as lojas, e o que é agradável a gente deve fazer. Você precisa aprender as coisas.

Com a ajuda de um carregador, levamos a compra para o meu quarto.

Hermínia examinou com atenção meu aposento, elogiou a estufa e o divã, experimentou as cadeiras, apanhou alguns livros do chão e deteve-se durante algum tempo diante da fotografia. Pusemos o gramofone sobre a cômoda, entre montões de livros. E então começaram minhas lições de dança. Hermínia pôs um foxtrote e me ensinou os primeiros passos, tomou-me da mão e começou a guiar-me. Trotei com ela obediente, tropecei nas cadeiras, obedeci às suas ordens sem as entender, pisei-lhe várias vezes e me mostrei tão desastrado quanto cioso do meu dever. Depois do segundo disco, ela deixou-se cair no divã e riu como uma criança.

— Meu Deus! Como você é duro! É preciso andar simplesmente como se estivesse passeando. Não é necessário nenhum esforço. Você está aí, como sufocado. Vamos descansar um pouco! Veja só: dançar, quando se sabe, é tão fácil como pensar, e aprender a dançar é mais fácil ainda. Você pode agora compreender a razão por que os homens não querem aprender a pensar e preferem chamar o Sr. Haller de traidor da pátria e nada fazem para impedir a próxima guerra.

Ao fim de uma hora lá se foi, assegurando-me que da próxima vez tudo seria melhor. Eu não pensava dessa maneira e ficara bastante decepcionado por causa da minha inabilidade; achei que não havia aprendido nada durante aquele primeiro exercício e não esperava sair-me melhor da próxima vez. Não; para dançar era necessário que se possuísse faculdades que me faltavam por completo: alegria, despreocupação, inocência, ímpeto. Já pensara nisso outras vezes.

No entanto, na vez seguinte, saí-me melhor na realidade e até mesmo comecei a gostar do exercício; ao final da lição, Hermínia afirmou que eu já sabia dançar o fox. Mas quando acrescentou que no dia seguinte iríamos dançar num restaurante, fiquei receoso e refuguei a ideia. Mas ela recordou-me com frieza a promessa que eu fizera de obedecer-lhe sempre e combinou de tomarmos chá pela manhã no Hotel Balances.

Passei a tarde toda em casa; quis ler mas não consegui. Estava angustiado com o futuro encontro; era-me impossível admitir que um velho, um tipo tímido e sensível como eu, pudesse frequentar um odioso e moderno salão de chá onde se dançava ao som de música de jazz e, mais ainda, que pudesse exibir-me como dançarino diante de pessoas estranhas, sem ao menos saber dançar. Confesso que ri bastante de mim mesmo e me envergonhei interiormente quando, só, em meu quarto de estudo, botei um disco no aparelho e repeti, de cuecas, os passos do fox, que aprendera.

No dia seguinte, no Hotel Balances, tocava uma pequena orquestra e serviam chá e uísque. Tentei subornar Hermínia, propondo-lhe comermos alguns salgados e tomarmos uma garrafa de vinho, mas ela se mostrou incorruptível.

— Não viemos aqui para nos divertir. Viemos para a aula de dança.

Tive de dançar duas ou três vezes com ela, e numa pausa da orquestra apresentou-me ao homem do saxofone, um jovem moreno e bem-apessoado, de origem espanhola ou sul-americana, que, como ela me disse, era capaz de tocar todos os instrumentos e falar todas as línguas do mundo. Este *señor** parecia ser velho conhecido de Hermínia e muito seu amigo. Tinha dois saxofones de tamanhos diferentes diante de si, e os tocava um após outro, enquanto seus olhos negros e sedutores examinavam os pares do salão. Com grande admiração de minha parte, senti que o inofensivo e fino executante me despertava ciúmes; mas não eram ciúmes amorosos o que sentia, já que não havia amor entre mim e Hermínia, mas ciúmes de sua amizade, pois o músico não me parecia digno do interesse, da distinção e até do respeito que Hermínia lhe demonstrava. Bons conhecimentos iria fazer ali, pensei comigo, de mau humor.

Logo vieram convidar Hermínia a dançar; fiquei sozinho à mesa, junto da chávena de chá, a ouvir a música, uma espécie de música que até então não conseguia suportar. Santo Deus, pensei, estou aqui metido neste mundo que até então procu-

---

* Em espanhol no original. (*N. do T.*)

rei evitar com tanto cuidado, neste mundo tão desprezível de boêmios e gente sibarita, neste mundo rotineiro e polido das mesinhas de mármore, da música de jazz, de *cocottes* e de caixeiros-viajantes! Confuso, tomei meu chá olhando fixamente a multidão de elegância duvidosa. Duas belas jovens atraíram minha atenção, ambas boas dançarinas, as quais, com admiração e inveja, via deslizarem elásticas, belas e alegres com segurança pela pista do salão.

Voltou Hermínia de novo à mesa e mostrou-se aborrecida comigo. Eu não estava ali para ficar com aquela cara e permanecer sentado imóvel à mesa do chá; tinha de fazer um esforço para dançar. Como? Eu não conhecia ninguém? Mas isso não era necessário. Ou será que não me agradava nenhuma daquelas moças que estavam no salão?

Apontei-lhe uma muito bonita, que estava sentada precisamente junto de nós e se mostrava encantadora em seu vestido de veludo vermelho, de cabelos curtos e muito louros, os braços roliços e femininos. Hermínia ordenou-me que a fosse tirar imediatamente, mas eu me defendi confuso.

— Não tenho coragem! — disse contrafeito. — Se eu fosse um jovem bonito e elegante, mas sou um velho pateta, que não sabe dançar; a moça vai rir-se de mim.

Hermínia olhou para mim com desdém.

— E se *eu* me rir de você, então isso não lhe importa? Que covarde você é! Quem quer que se aproxime de uma mulher, está se arriscando a ser motivo de riso. Portanto, atreva-se, Harry, e, na pior das hipóteses, deixe que se riam. Caso contrário, não confiarei mais em sua promessa de obediência.

Ela não cedia. Levantei-me tímido e aproximei-me da jovem quando a música recomeçou a tocar.

— Na verdade, estou acompanhada — disse ela, examinando-me curiosa com seus grandes olhos puros —, mas meu par foi ao bar e por lá ficou. De modo que vamos dançar!

Enlacei-a pela cintura e dei os primeiros passos, admirado de que ela não se recusasse a continuar a dança; logo percebeu minha indecisão e passou a guiar-me. Dançava admiravelmente e me levava com facilidade; esqueci-me por um momento dos conselhos e regras de dança, deixando-me simplesmente conduzir, sentindo as ancas firmes e os joelhos flexíveis da minha dançarina; fitei-lhe o rosto jovem e resplandecente e confessei-lhe que era a primeira vez que eu dançava na vida. Sorriu e me animou a prosseguir, respondendo aos meus olhares de admiração e às minhas frases elogiosas com toda naturalidade, não com palavras, mas com deliciosos movimentos que mais nos aproximavam, excitantes. Tinha a mão direita firmemente apoiada sobre sua cintura, e esforçava-me por seguir satisfeito e ardoroso o elástico movimento de suas pernas, dos ombros e dos braços; não a pisei uma só vez, o que me encheu de assombro; e quando a música terminou, permanecemos em meio à pista aplaudindo, até que voltaram a soar os compassos do fox e reencetei o rito com toda a devoção de um amante.

Quando terminou a dança, rápida demais, a jovem de vestido vermelho afastou-se de mim e logo apareceu Hermínia ao meu lado, que nos estava observando.

— Está vendo? — riu elogiosamente. — Descobriu que as pernas de uma mulher não são exatamente iguais às pernas de uma mesa? Muito bem! Já sabe dançar o fox, graças sejam dadas! Amanhã começaremos com o *boston*, e dentro de três semanas haverá o baile de máscaras nos salões do Globo.

Chegara o intervalo; sentamo-nos e veio também fazer-nos companhia o elegante e jovem Sr. Pablo, o tocador de saxofone, que se colocou ao lado de Hermínia. Pareciam bons amigos. Mas a mim, confesso, não me agradou nada naquela primeira entrevista. Era bem-apessoado, não se podia negar, belo de estatura e de rosto; mas, a não ser isso, não descobri outras qualidades nele. Quanto às suas qualidades de poliglota, estas não passavam, na verdade, do conhecimento de algumas palavras soltas, como "por favor", "obrigado", "sim", "decerto", "alô" e outras parecidas, ditas em vários idiomas. Mas falar o *señor* Pablo não falava nada, e também parecia não pensar lá grande coisa o bonito *caballero*.* Sua habilidade parecia cingir-se à execução do saxofone na orquestra de jazz, e a isso se entregava com amor e devoção, às vezes acompanhando os músicos com palmas ou lançando exclamações animadoras, tais como "O! o! o! Há! Há! Hallo!"; mas, ao que parece, não viera ao mundo senão para ser belo, para agradar às mulheres, para usar gravatas e nós da última moda e um grande número de anéis nos dedos. Sua conversação consistia em ficar sentado junto de nós, a sorrir, a olhar o relógio de pulso e a enrolar cigarros, no que era perito. Seus olhos escuros e belos de mestiço, seus negros cabelos não ocultavam nenhum romantismo, nenhum problema, nenhum pensamento; examinado de perto, o belo e exótico semideus era um jovem alegre e algo mimado, de maneiras agradáveis e nada mais. Falei com ele a propósito de seu instrumento e das tonalidades na música de jazz; devia perceber que estava falando com um velho amante e conhecedor de assuntos musicais, mas nada disse também a tal respeito. E quando eu, por consideração a ele, ou mais exatamente a Hermínia, iniciei algo assim como uma justificativa musical do jazz, o moço sorriu ingenuamente de mim e de meus esforços para conseguir tal justificativa, desconhecendo presumivelmente

---

* Em espanhol no original. (*N. do T.*)

que antes do jazz também havia existido outro tipo de música. Era simpático, simpático e gracioso; sorria bonito com seus grandes olhos vazios, mas entre nós dois não parecia haver nada em comum; nada talvez do que para ele fosse importante e sagrado poderia sê-lo igualmente para mim — vínhamos de regiões antípodas da Terra, nossas linguagens não tinham qualquer palavra em comum. (Mais tarde, no entanto, Hermínia me disse algo que foi para mim surpreendente. Disse-me que Pablo, após aquela conversação, recomendara-lhe cuidado comigo, porquanto eu lhe parecia muito infeliz. E quando ela lhe perguntou por que havia chegado àquela conclusão, o moço respondera: "Pobre coitado! Olhe só para ele! Não sabe sorrir!")

Quando o músico se despediu e a dança recomeçou, Hermínia pôs-se de pé.

— Agora você podia dançar de novo comigo, Harry. Ou não quer mais dançar?

Também com ela mostrei-me mais leve, mais solto e mais alegre, embora não tão livre e esquecido de mim quanto me mostrara com a outra moça. Hermínia deixou-se conduzir, amoldando-se a mim como uma pétala de flor, delicada e suavemente, e junto dela voltei a sentir todas aquelas belezas que umas vezes vinham ao meu encontro e outras se afastavam; ela também cheirava a mulher e a amor; também sua maneira de dançar cantava delicada e intimamente a nobre canção cativadora do sexo e, no entanto, eu não podia responder a tudo aquilo com alegria e inteira liberdade, não podia esquecer-me por completo e abandonar-me a tudo. Hermínia estava próximo demais de mim, era minha companheira, minha irmã; era minha igual, parecia-se comigo e com meu companheiro de infância, Hermann, o exaltado, o poeta, o brilhante companheiro dos meus anseios espirituais e de meus excessos.

— Eu sei — disse-me ela quando lhe falei do assunto —, sei disso muito bem. Mas mesmo assim vou fazer com que você se apaixone por mim; mas não há pressa. Primeiro é necessário que nos tornemos camaradas, duas pessoas que esperam ser amigas, porque nos conhecemos mutuamente. Por ora temos de aprender um com o outro e nos divertir juntos. Eu lhe ensinarei minha comédia, vou ensinar-lhe a dançar e a ser mais alegre e despreocupado, enquanto você me transmite um pouco das suas ideias e do seu saber.

— Ah! Hermínia, não há muito o que ensinar, você sabe muito mais que eu. Que pessoa interessante você é, mocinha! Em tudo e por tudo você caminha à minha frente. Significo algo para você? Não a aborreço?

Olhou para o chão com olhos sombrios.

— Não me agrada ouvi-lo falar assim. Você se esquece da noite em que, desesperado pelo tormento e pela solidão, cruzou por meu caminho e nos tornamos bons amigos? Por que imagina que pude conhecê-lo e compreendê-lo então?

— Por que, Hermínia? Diga-me!

— Porque eu sou como você. Porque estou tão só e amo tão pouco a vida, as pessoas e a mim mesma quanto você; e, como você, não posso levar nada disso a sério. Sempre houve pessoas assim, que exigem da vida o que ela tem de mais valioso e não podem conformar-se com sua estupidez e crueldade.

— Oh, você! — exclamei, profundamente admirado. — Compreendo-a muito bem, minha amiga; ninguém a compreende melhor que eu. E no entanto continua a ser um enigma para mim. Você brinca com a vida, tem uma prodigiosa afeição pelos pequenos detalhes e prazeres, é uma espécie de artista da vida. Como pode sofrer na vida? Como pode duvidar?

— Eu não duvido, Harry. Mas, quanto a sofrer na vida, disso tenho muita experiência. Você se surpreende por eu ser infeliz e conseguir dançar e estar tão segura de mim nas coisas superficiais da vida. E eu, meu amigo, me surpreendo por sabê-lo desiludido da vida sendo capaz de dominar tão profundamente as mais belas coisas do espírito, da arte e do pensamento! Eis por que fomos arrastados um para o outro e por que nos fizemos irmãos. Vou ensinar-lhe a dançar, a brincar e a sorrir, e ainda assim permanecer infeliz. E você me ensinará a pensar e a saber, e ainda assim permanecer descontente. Sabe que somos ambos filhos do demônio?

— Sim, é isso o que somos. O demônio é o espírito, e nós, seus filhos desgraçados. Saímos da natureza e caímos no vazio. Mas agora recordo-me de uma coisa: no *Tratado do Lobo da Estepe*, do qual já lhe falei, há um trecho que fala ser apenas uma ilusão de Harry o acreditar-se composto de uma ou duas almas, de uma ou duas personalidades. Todo homem, segundo o livro, se compõe de dez, de cem, de mil almas.

— Isso me agrada muito! — exclamou Hermínia. — Em você, por exemplo, o espiritual está altamente representado e por isso, em muitas outras coisas da vida, você ficou para trás. O pensador Harry tem cem anos, mas o bailarino Harry tem apenas meio dia. Este é o que vamos exercitar agora, bem como outros irmãozinhos seus, tão infelizes e desajeitados quanto ele.

Olhou para mim sorrindo e perguntou em voz baixa, mudando o tom:

— Diga-me, e o que achou de Maria?

— Maria? Que Maria?

— A moça com quem você dançou. Uma garota muito bonita, admirável. Achei que você estava gostando um pouco dela.

— Você a conhece?

— Conheço, claro! Conhecemo-nos muito bem. Está interessado?

— Achei-a muito simpática e fiquei satisfeito por ela mostrar-se compreensiva com meu modo de dançar.

— Só isso? Você devia cortejá-la, Harry. Ela é bonita e dança muito bem, e além disso você está gostando dela. Acho que daria certo.

— Não dou para isso!

— Já está dizendo mentiras! Sei que você tem uma amante em algum lugar do mundo, com quem se encontra de seis em seis meses para brigar. É muito elogiável que você queira permanecer fiel a essa mulher extraordinária, mas, permita-me, não leve esse gesto tão a sério! Acho que você leva o amor muito a sério. Pode fazê-lo, pode amar desse modo ideal a tudo quanto queira, isso é assunto seu. Só quero que você aprenda melhor os pequenos e despretensiosos jogos e artes da vida, pois nesse terreno sou sua mestra e serei melhor professora do que sua amada ideal. Na verdade, Lobo da Estepe, você está precisando é voltar a dormir com uma mulher bonita.

— Hermínia — gritei atormentado —, olhe para mim, eu sou um velho!

— Você é jovem ainda. E assim como aprendeu a dançar, embora um tanto tarde, também poderá aprender a amar. Amar ideal e tragicamente, meu amigo, isso você já sabe fazer muito bem, sem dúvida alguma! Mas agora vai aprender a amar à vulgar maneira humana. O primeiro passo já foi dado; agora você pode ir sozinho ao baile. É preciso aprender a dançar o *boston*; vamos começar amanhã. Irei às três horas. E que achou da música, afinal?

— Excelente!

— Está vendo? Isso foi também um progresso! Até então, você não podia suportar a música de dança e o jazz; achava-a pouco séria e sem profundidade, e viu agora que não é necessário levá-la a sério, que pode ser agradável e encantadora. É bem verdade que sem Pablo a orquestra não valeria nada. É quem a domina, é quem ordena.

Assim como o gramofone viciava a atmosfera de espiritualidade ascética do meu estúdio, e também os ritmos americanos, estranhos e perturbadores, destrutivos, penetravam em meu cultivado mundo musical, assim irrompiam por todas as partes coisas novas, temidas, libertadoras, em minha vida até agora tão rígida e tão severamente delimitada. O *Tratado do Lobo da Estepe* e Hermínia tinham razão em sua teoria das mil almas; amiúde surgiam em mim, junto a todas as antigas, algumas novas almas, com suas pretensões, alvoroçadas, e agora via claramente, como um quadro posto diante de mim, o processo de minha personalidade até então. As poucas habilidades e matérias em que eu casualmente era forte haviam ocupado toda a minha atenção, e eu pintara de mim a imagem de uma pessoa que não passava de um estudioso e refinado especialista em poesia, música e filosofia; e como tal tinha vivido, deixando o resto de mim mesmo ser um caos de potencialidades, instintos e impulsos que me pareciam um transtorno e por isso os encobria com o nome de Lobo da Estepe.

Todavia essa reversão de minha quimera, essa libertação de minha personalidade não constituíam, de modo algum, uma aventura agradável e divertida, mas, ao contrário, era frequentemente amarga e dolorosa e não raro quase insuportável. O gramofone soava às vezes diabólico em meio àquele ambiente onde tudo estava sintonizado com um tom inteiramente diverso.

E muitas vezes, quando dançava os meus *one-steps* em algum restaurante da moda entre as pessoas elegantes e alegres libertinos, sentia-me como uma espécie de traidor para com tudo aquilo que na vida me fora respeitável e sagrado. Se Hermínia me tivesse deixado sozinho durante uma semana, teria fugido imediatamente daquele intento penoso e ridículo de converter-me em homem mundano. Mas Hermínia estava sempre ao meu lado; ainda que não a visse todos os dias, continuamente me estava observando, me acompanhava, me vigiava, me advertia. Chegava mesmo a ler sorridente em meu rosto todos os meus pensamentos de insubordinação e fuga.

Com a destruição do que havia chamado antes "minha personalidade", comecei a compreender por que, apesar de todo desespero, eu temera tão horrivelmente a morte, e comecei a notar que também esse temor atroz e ignominioso pela morte era um resquício de minha antiga existência, burguesa e enganadora. O Sr. Haller de até então, escritor de talento, conhecedor de Mozart e de Goethe, autor de observações dignas de ler-se sobre a metafísica da arte, sobre o gênio e o trágico, sobre a humanidade, o solitário melancólico em sua clausura de livros, tinha de fazer sua autocrítica ponto por ponto, sem nada omitir. Esse douto e interessante Sr. Haller havia, de fato, pregado a razão e a humanidade e protestado contra a crueldade da guerra, mas durante a guerra não se deixou levar junto a um paredão para ser fuzilado como seria a verdadeira consequência de seu pensamento; antes arranjou alguma forma de transigência, nobre e decente sem dúvida, mas que não deixava de ser uma acomodação. Era, além disso, inimigo do poder e da exploração, mas tinha no banco muitas ações de empresas industriais, cujos dividendos recebia sem que lhe doesse a consciência. E assim para tudo mais, Harry Haller se atribuíra um prodigioso papel de idealista e desprezador do mundo, de melancólico solitário e de profeta tonitruante, mas no íntimo era um burguês, capaz de censurar uma vida como a de Hermínia; lamentava-se das noites perdidas nos restaurantes e do dinheiro que neles gastara; tinha remorsos e suspirava não exatamente por sua emancipação e aperfeiçoamento, mas, ao contrário, para voltar aos velhos tempos em que seus problemas espirituais ainda lhe causavam prazer e lhe traziam fama. Agia exatamente como os leitores de jornais, tão desprezados e insultados por ele, que se lembravam dos tempos ideais de antes da guerra, pois isso era mais cômodo do que aprender a lição das coisas já sofridas. Com os demônios, que tipo asqueroso esse Sr. Haller! No entanto, me agarrava a ele ou à sua larva já em transformação, agarrava-me ao seu namoro com o espiritual, ao seu temor burguês pelo desordenado e pelo casual (a que também pertencia a morte) e o comparava com o novo Harry, o tímido e cômico diletante das salas de dança, sarcástico e cheio de inveja daquela imagem do Harry de outros tempos, daquele Harry de ideais mentirosos, no qual havia descoberto, no entanto, aquelas fatais características que tanto lhe haviam desagradado ver no retrato de Goethe em casa do professor. Ele próprio, o velho Harry, fora exatamente como um Goethe burguês idealizado, um herói espiritual com olhar demasiado nobre, irradiando superioridade, espírito e sentido humano, untado de brilhantina e emocionado ao mesmo tempo pela sua própria nobreza de alma! Raios, aquele nobre retrato estava agora, sem dúvida, precisando de reparos, e o ideal Sr. Haller fora lamentavelmente desmantelado! Semelhava-se a um dignitário caído em mãos de salteadores, que lhe tivessem feito as calças em frangalhos, e, em vez de aprender a portar-se como um esfarrapado, ostentava seus molambos como se deles pendessem ainda as antigas condecorações e continuava afetando dolorosamente a antiga dignidade perdida.

Cada vez me achava com mais frequência em companhia de Pablo, o músico, e tive de mudar minha opinião sobre ele ainda que somente pelo fato de Hermínia considerá-lo tanto e viver ansiosa de sua companhia. Pablo me dera a impressão de uma bela nulidade, um simples moço bonito, um tanto vaidoso, uma criança feliz e sem problemas, cuja satisfação consistia em soprar numa corneta de brinquedo que lhe compraram na feira e era capaz de manter-se quieto à custa de elogios e bombons de chocolate. Pablo, no entanto, não estava interessado em minhas opiniões. Eram-lhe tão indiferentes quanto minhas teorias musicais. Ouvia-me com amistosa cortesia, sorrindo sempre, sem nunca emitir uma resposta. Por outro lado, parecia que eu lhe despertara o interesse, pois se esforçava visivelmente por agradar-me e mostrar-se simpático em relação a mim. Certa vez, quando demonstrei certa irritação e mesmo mau humor, numa dessas tentativas de conversação inúteis, ele encarou-me com um ar confuso e triste e, tomando-me a mão esquerda, alisou-a e ofereceu-me uma pitada de rapé que trazia numa caixinha de ouro. Olhei para Hermínia inquisitivo e, como assentisse, tomei uma pitada. Imediatamente senti a mente clara e o ânimo mais jovial; sem dúvida, havia cocaína misturada ao pó. Hermínia contou-me que Pablo tinha muitas drogas daquelas, que obtinha por meios secretos; vez por outra oferecia-as aos amigos, e era mestre na mistura e dosagem daqueles preparados. Tinha remédios para aplacar a dor, para provocar o sono, para produzir sonhos eróticos, para alegrar o espírito e despertar a paixão.

Certa vez encontrei-o na rua, próximo do cais, e ele imediatamente veio ao meu encontro. Desta vez consegui finalmente fazê-lo falar.

— Sr. Pablo — disse-lhe, enquanto ele brincava com um bastãozinho de ébano com castão de prata —, o senhor é amigo de Hermínia e por este motivo me interesso pelo senhor. Mas, desculpe-me a franqueza, o senhor torna muito difícil a conversação. Já várias vezes tenho tentado falar-lhe a respeito de música; gostaria de conhecer sua opinião e conceitos, quer contradigam ou não os meus, entretanto o senhor nunca se dignou a me dar uma resposta.

Sorriu-me com a maior cordialidade e desta vez não se furtou a dá-la, dizendo, impassível:

— Bem, na minha opinião não há nenhum sentido em falar-se a respeito de música. Nunca falo sobre isso. Que responder, então, às suas observações eruditas e judiciosas? O senhor tem toda razão naquilo que afirma. Mas, veja, eu sou um músico, não um erudito, e no que diz respeito à música acho que não há a menor importância em estar alguém com a razão. A música não depende de estarmos com razão, de termos bom gosto ou erudição musical e tudo mais.

— Ah, não? E de que depende então?

— De se fazer música, Sr. Haller, de se fazer música tão boa e tão abundante quanto possível e com toda a intensidade de que alguém é capaz. Aí é que está a coisa, *monsieur*.* Ainda que eu tivesse na memória toda a obra de Bach e de Haydn e pudesse dizer as coisas mais admiráveis a respeito delas, isso não teria a menor utilidade para os outros. Mas quando tomo meu instrumento e toco um *shimmy* bem movimentado, seja este bom ou mau, há de causar alegria a alguém, entrará pelas pernas e até chegará ao sangue. Isto e somente isto é o que importa. Observe a fisionomia dos pares num salão de dança no momento em que a música volta a tocar após uma pausa prolongada, observe como os olhos brilham, como as pernas se movem e os rostos começam a sorrir. É por isso que se faz música.

---

* Em francês no original. (N. do T.)

— Muito bem, Sr. Pablo. Mas não é só a música sensual que existe, existe também a espiritual. Além daquela música que se executa no momento, existe a música imortal que sobrevive mesmo quando já não é interpretada. Pode estar uma pessoa sozinha deitada e vir-lhe ao pensamento um trecho de *"A flauta mágica* ou da *Paixão segundo Mateus*, então a música se faz realidade sem que alguém precise soprar a flauta ou arranhar o violino.

— Sem dúvida, Sr. Haller. Também o *Yearning* e *Valencia* são reproduzidos cada noite por muitas pessoas solitárias e sonhadoras; até a mais humilde datilógrafa tem na cabeça, quando está no escritório, os ritmos do último *one-step* e acompanha no teclado seu compasso. O senhor tem razão. A todas essas pessoas solitárias eu concedo a música muda, seja ela o *Yearning*, seja *A flauta mágica* ou *Valencia*! Mas de onde recebem esses homens a música solitária e muda? Recebem-na de nós, dos músicos, pois primeiro ela tem de ser executada e ouvida e penetrar no sangue, antes que alguém possa pensar nela sozinho em seu quarto e com ela sonhar.

— De acordo — disse friamente. — No entanto, não se pode colocar no mesmo plano a música de Mozart e o último foxtrote. E não é a mesma coisa servir ao público música divina e eterna ou música barata e efêmera.

Quando Pablo percebeu a excitação de minha voz, assumiu a expressão facial mais amável, tocou-me o braço e falou, com incrível doçura:

— Ah! meu caro senhor, nisso dos planos pode ser que o senhor tenha toda a razão. Nada tenho a objetar que coloque Mozart, Haydn e *Valencia* no plano que melhor lhe agrade. A mim pouco importa. Nada tenho de decidir sobre tais planos, nunca me perguntaram nada sobre eles. É possível que continuem a executar Mozart daqui a cem anos e talvez daqui a dois anos já nenhuma orquestra toque *Valencia*, mas isso podemos deixar tranquilamente nas mãos de Deus. Ele é justo e tem em suas mãos a duração da vida de todos nós, até mesmo de cada valsa e de cada foxtrote. Ele saberá fazer o que é justo. Mas nós os músicos temos de fazer nossa parte, o que é nosso dever e ofício: devemos tocar o que o público pede no momento e devemos fazê-lo bem e de maneira bela e tocar com todo o entusiasmo possível.

Suspirando, assenti também a isso. Não havia jeito de enquadrar o homem.

Em muitos momentos o velho e o novo, a dor e o prazer, o temor e a alegria apareciam prodigiosamente entremesclados. Tão logo estava no céu como no inferno, e muitas vezes nos dois ao mesmo tempo. O velho e o novo Harry viviam algumas vezes em contínua peleja, outras em profunda paz. O velho Harry parecia às vezes inteiramente morto e enterrado, e, de súbito, lá surgia, dominador e tirano, e tudo sabia melhor que o outro, e o novo, o pequeno, o jovem Harry se envergonhava, calava e se deixava levar contra a parede. Em outros momentos, o jovem Harry pegava o velho pela garganta e apertava-a violentamente, havia muitos gemidos, muitas lutas de morte, muitos pensamentos na navalha de barbear.

Mas, com frequência, me açoitava uma onda de dor e de ventura. Momento semelhante foi quando, poucos dias depois de minha primeira tentativa de ir ao baile público, ao entrar de noite em meu dormitório, com indizível surpresa, com horror e encanto, encontrei deitada em minha cama a formosa Maria.

De todas as surpresas que Hermínia me havia preparado até então, aquela, sem dúvida, era a mais extraordinária. Pois não duvidei um só momento de que fosse ela quem me havia enviado a ave-do-paraíso. Excepcionalmente, eu não estivera aquela noite com Hermínia, mas fora a um concerto de música clássica religiosa na abadia, concedendo-me uma bela e melancólica escapada à minha vida de antes, aos campos da minha juventude, aos terrenos do Harry ideal. No ambiente gótico da igreja, cujas formosas abóbadas enredadas quebravam a luz em mil matizes de sombras e penumbras, ouvira peças de Buxtehude, Pachelbel, Bach, Haydn; voltara a percorrer os velhos e amados caminhos, voltara a ouvir a voz soberba de uma cantora de Bach, com quem tivera relações amistosas em tempos passados e a quem ouvira atuar muitas vezes. A voz da música antiga, sua infinita dignidade e santidade haviam-me despertado de novo toda a elevação, todo o entusiasmo, toda a inspiração da juventude; sentei-me no alto coro da igreja, triste e meditativo, hóspede por uma hora desse mundo nobre e venturoso, que em outro tempo fora minha pátria. Ouvindo um dueto de Haydn, vieram-me lágrimas aos olhos, não esperei o final do concerto, renunciei ao pensamento de despedir-me da cantora (oh, que noites tão maravilhosas havia passado em outros tempos, depois desses concertos, em companhia dos cantores!), saí da abadia e corri fatigado pelas ruas solitárias, nas quais se ouvia, vindo do interior dos restaurantes, as melodias de dança da vida moderna. Oh, que confusão tão grande era agora minha vida!

Durante aquela caminhada noturna pensei também em minhas singulares relações com a música e voltei novamente a reconhecer que essas fatais relações com a música eram o destino de toda a intelectualidade alemã. No espírito alemão domina o direito maternal, a sujeição natural na forma a uma hegemonia da música, como não se conheceu em nenhum outro povo. Nós, os intelectuais, em vez de nos defendermos varonilmente contra isso e reduzir a obediência ao espírito, ao *logos* e à palavra, sonhamos todos com uma linguagem sem palavras, que possa exprimir o inexprimível, que possa representar o irrepresentável. Em vez de tocar seu instrumento da forma mais fiel e honesta possível, o intelectual alemão está sempre em luta com a palavra e a razão e fazendo a corte à música. Na música, nas sinfonias maravilhosamente sonoras, nos sentimentos e estados de alma prodigiosamente nobres, que nunca se veem obrigados a se fazerem realidade, nutriu-se o espírito alemão e nelas deixou cair a maior parte de suas energias reais. Nenhum de nós, intelectuais, se achava em seu elemento dentro da realidade; éramos estranhos e inimigos dela. Por isso, o espírito desempenha um papel tão lastimável em nossa realidade alemã, em nossa história, em nossa política, em nossa opinião pública. Sim, já havia pensado naquilo muitas vezes, não sem sentir sempre anseios intensos de representar a realidade, de trabalhar séria e responsavelmente, em vez de me ocupar o tempo todo só da estética e das profissões artísticas espirituais. Mas no final acabava com a resignação, com a capitulação diante da fatalidade. Os senhores generais e os donos da indústria pesada tinham muita razão: não era possível cerrar fileiras conosco, os intelectuais; éramos uma quadrilha de charlatães espirituais, sem força real, carentes de responsabilidade. Ah! raios! A navalha de barbear!

Deste modo, cheio de pensamentos e ressonâncias musicais, com o coração carregado de tristeza e de desesperados anseios de vida, de realidade, de sentido, de tudo o que havia perdido e não podia mais recuperar, cheguei por fim a casa, subi minha escada, acendi a luz do quarto de estudos e tentei em vão ler um pouco, pensei no encontro que havia marcado para amanhã à tarde no Cecil-Bar, e senti rancor não só contra mim mesmo, como também contra Hermínia. Embora pensasse bem e fosse bondosa, embora fosse um ser maravilhoso, podia ter feito melhor se me deixasse perecer em vez de me haver arrastado a este mundo confuso, estranho, agitado, no qual sempre seria um estrangeiro e onde o que eu tinha de melhor havia se rebaixado e sofria amargamente.

E assim, triste, apaguei a luz e fui para o meu quarto; comecei a despir-me com imensa tristeza, quando me surpreendeu um perfume que não me era familiar, e olhando em redor vi estendida em minha cama a bela Maria, que me sorria um tanto tímida, com seus grandes olhos azuis.

— Maria! — disse eu.

E meu primeiro pensamento foi que minha hospedeira certamente me mandaria embora se chegasse a descobrir aquilo.

— Eu vim — disse ela em voz baixa. — Você não está aborrecido?

— Não, não. Decerto Hermínia lhe deu minha chave. Pode ficar.

— Oh! Estou achando que ficou aborrecido. É melhor ir-me embora.

— Não, formosa Maria, fique! É que hoje precisamente estou muito triste, não poderia mostrar-me alegre hoje; amanhã decerto estarei.

Eu me inclinara um pouco sobre ela, então me agarrou pela cabeça com suas mãos grandes e firmes, me puxou para si e me beijou demoradamente. Depois sentei-me a seu lado, segurei-lhe a mão, roguei-lhe que falasse baixo, para que ninguém nos ouvisse, e olhei-a bem no rosto bonito e cheio, que parecia uma flor estranha e grande sobre o meu travesseiro. Lentamente, levou-me a mão à boca, depois introduziu-a sob o lençol e colocou-a em seu seio cálido e palpitante.

— Não precisa estar alegre — disse ela. — Hermínia me disse que você tem seus problemas. Qualquer um pode perceber isso. Diga-me somente uma coisa: eu lhe agrado? Outro dia, ao dançar comigo, achei-o muito interessado em mim.

Beijei-lhe os olhos, a boca, o pescoço e os seios. Um momento antes eu havia pensado em Hermínia com amargura e reprovação. Agora eu tinha nas mãos o presente que ela me enviara, e estava agradecido. As carícias de Maria não conspurcavam a música maravilhosa que eu ouvira aquela noite. Eram dignas dela e como que a completavam. Lentamente, retirei as roupas de cima de seu corpo admirável para que meus beijos pudessem chegar aos seus pés. Quando me deitei ao seu lado, a flor de sua face me sorriu onisciente e bondosa.

Naquela noite, ao lado de Maria, não dormi muito, mas meu sono foi profundo e bom como o de uma criança. E entre um sono e outro eu bebia sua alegre e formosa juventude e ouvi, enquanto falávamos baixinho, um sem-número de detalhes curiosos sobre sua vida e a de Hermínia. Eu sabia muito pouco sobre essa espécie de vida. Somente no mundo teatral, ocasionalmente, deparara com similares existências — homens e mulheres que viviam metade para a arte e metade para o prazer. Agora, pela primeira vez, podia lançar uma olhada sobre aquela espécie de vida, extraordinária não só por sua singular inocência quanto por sua singular corrupção. Essas jovens, provenientes em sua maioria de famílias pobres, demasiado inteligentes e bonitas para atirarem suas vidas simplesmente em qualquer ganha-pão mal remunerado e melancólico, viviam todas de empregos ocasionais ou mesmo de sua graça e amabilidade. Passavam, às vezes, um ou dois meses empregadas como datilógrafas; depois algum tempo como amantes de pessoas de dinheiro, recebendo mesadas e presentes; viviam algum tempo entre peles, automóveis e hotéis de luxo; outras vezes, em águas-furtadas; e embora pudessem chegar ao casamento por causa de um bom partido, não viviam de forma alguma ansiosas por isso. Muitas delas amam sem desejo e só concedem seus favores contra a vontade e por alto preço. Outras, e Maria era uma delas, eram extraordinariamente dotadas para o amor e incapazes de passar sem ele; a maioria era também experiente no amor com ambos os sexos. Viviam exclusivamente para o amor e, juntamente com o amante oficial que as mantinha, quase sempre deixavam florescer outros amores. Ativas e diligentes, prudentes e loucas, apesar de tudo essas mariposas viviam sua vida tão infantil quanto refinada, independentes, não se vendendo a qualquer um, vivendo mais ou menos do momento e, embora apegadas à vida, o eram menos que os burgueses, sempre prontas a seguir um príncipe encantado a seu castelo, mas sempre com o pressentimento de que um final difícil e triste as esperava.

Maria ensinou-me muitas coisas — naquela maravilhosa primeira noite e nos dias seguintes —, não apenas encantadores novos jogos e prazeres dos sentidos, mas ainda uma nova compreensão, um novo conhecimento, um novo amor. O mundo dos salões de baile e dos locais de prazer, o cinema, o bar e os chás nos salões de hotéis, que para mim, o solitário e asceta, sempre tinham sido algo inferior, proibido e degradante, era, para Maria, para Hermínia e suas companheiras, simplesmente o mundo, sem ser bom nem mau, nem agradável nem odioso; nesse mundo florescia sua curta e anelante vida. Estavam à vontade nele e conheciam todos os seus caminhos. Amavam um champanha ou um prato especial num *grillroom*,[*] como nós outros amamos um compositor ou um poeta, e punham numa dança da moda ou na canção sentimental e melosa de um cantor de jazz o mesmo entusiasmo, a mesma emoção e ter-

---

[*] Em inglês no original. (*N. do T.*)

nura que um de nós devotava a Nietzsche ou a Hamsun. Maria falou-me a propósito do simpático tocador de saxofone, Pablo, e de uma canção americana que ele cantava com frequência; falou disso com uma emoção, uma admiração e um amor que me comoveram muito mais que os êxtases de alguns espíritos cultos diante de refinados prazeres artísticos. Estava disposto a entusiasmar-me, fosse qual fosse a canção; as palavras amorosas de Maria, seu olhar anelante e deslumbrado haviam aberto brechas em minha estética. Existia sem dúvida uma Beleza, única e indivisível, restrita e seleta, que estava para mim, com Mozart a coroá-la, acima de qualquer dúvida ou discussão; mas onde estava o limite? Pois nós, os conhecedores e críticos, não havíamos, na juventude, nos devotado a obras e artistas que hoje nos pareciam duvidosos e desagradáveis? Não acontecera isso conosco em relação a Liszt e a Wagner e com muitos até em relação a Beethoven? Aquele comovedor entusiasmo de Maria por uma canção americana não era uma emoção estética tão pura, tão bela; não estava tão acima de toda dúvida como a emoção de qualquer professor diante do *Tristão* ou o êxtase de um regente diante da Nona sinfonia? E aquilo não se harmonizava maravilhosamente com a opinião do Sr. Pablo e lhe dava razão?

Maria também parecia amar o simpático Pablo!

— É uma pessoa muito simpática — disse eu. — A mim também me agrada muito. Mas diga-me, Maria, como pode gostar de mim, uma pessoa sem atrativos, um velho, feio, com o cabelo já esbranquiçando e que não sabe tocar saxofone nem cantar nenhuma canção de amor em inglês?

— Não fale assim! — repreendeu-me. — É muito natural. Você também me agrada, você também tem algo de belo, amoroso e particular, você não pode ser diferente do que é. Não vale a pena falar dessas coisas nem pedir explicações de tudo isso. Olhe, quando você me beija o pescoço ou a orelha, sinto que gosta de mim e que gosto de você; você sabe beijar de uma maneira que parece tímida, e isso me diz: ele te ama, está muito satisfeito contigo por seres bela. E isso me agrada, me agrada muito. Já com outros homens o que me agrada é exatamente o contrário, é beijarem como se fosse uma graça que me estivessem concedendo.

Tornamos a dormir. Voltei a despertar, sem deixar de manter-me abraçado à minha formosa flor.

E que prodígio! Aquela formosa flor continuava sendo sempre o presente que Hermínia me enviara! Hermínia permanecia constantemente por trás dela, disfarçada dentro dela! E de repente pensei em Erika, em minha distante (e mal) amada, em minha pobre amiga. Era pouco menos bela que Maria, embora não tão radiante; e era mais retraída e não tão adestrada nas pequenas artes do amor. Tive-a um momento diante dos olhos, clara e doloridamente, amada e profundamente enraizada em meu destino; depois caiu num profundo olvido, numa distância quase lamentável.

E surgiram muitas imagens de minha vida durante aquela bela e deliciosa noite, imagens de minha vida que fora tão vazia e pobre. Agora, libertada prodigiosamente por Eros, brotava a fonte das imagens, caudalosa e profunda, e o coração me parava a cada momento, de entusiasmo e tristeza também, ao pensar quão abundante fora a galeria de minha vida, quanto a alma do pobre Lobo da Estepe estava cheia de altas estrelas e eternas constelações. Apareceu a imagem da infância e a mãe, delicada e diáfana, como do alto de uma montanha azul; ressoou brônzeo e claro o coro das minhas amizades, a começar pelo fabuloso Hermann, o irmão espiritual de Hermínia; exalando aromas extraterrenos, como as flores do lago que se abrem sobre as águas, flutuavam as imagens das mulheres que amei, a quem desejei e exaltei em versos, das quais pouca coisa obtive e das que em vão tentei conquistar. Também apareceu minha mulher, com quem vivi vários anos, que me ensinou a vida em comum, com seus conflitos e resignações; em quem, apesar de todas as insatisfações da vida, depositara uma profunda confiança até o dia em que, enlouquecida e enferma, me abandonou; reconheci então quanto a amara e quão profundamente confiara nela, para que seu abuso de confiança me tivesse podido afetar de modo tão grave e para toda a vida.

Aquelas imagens — eram centenas, com e sem nome — estavam ali de novo, surgiam novas e jovens do poço daquela noite de amor, e tornei a ter consciência do que havia esquecido na miséria, que elas eram o tesouro e os bens da minha vida e que continuavam existindo inalteráveis, acontecimentos culminantes que poderia esquecer, mas não destruir, cuja série formava a lenda de minha vida, cujo brilho era o indestrutível valor de minha existência. Minha vida fora penosa, transtornada e infeliz, conduzindo à destruição e ao niilismo, fora amargurada pelo sal de todo destino humano, mas havia sido rica, orgulhosa e senhorial; uma vida soberba até mesmo na miséria. E ainda que o resto do caminho até o ocaso fosse inteiramente desfigurado, o cerne desta vida fora nobre, tinha feição e estirpe, não girara em torno das moedas, mas em torno das estrelas.

O tempo passou e sucederam muitas coisas depois disso, e só posso recordar-me de alguns detalhes daquela noite, de algumas palavras, de alguns gestos e ações de profunda delicadeza amorosa, do momento estelar em que despertei do pesado sono do cansaço amoroso. Mas aquela noite foi a primeira vez que, desde a época de minha decadência, voltei a olhar a própria vida com olhos inflexíveis e resplandecentes, em que voltava a reconhecer na casualidade um destino e nas ruínas de minha vida fragmentos celestiais. Minha alma voltava a respirar, meus olhos voltavam a ver, e às vezes suspeitava ardentemente que só necessitava recolher o mundo disperso das imagens, que só necessitava congregar minha vida como Harry Haller e o Lobo da Estepe na unidade de uma só imagem, a fim de poder penetrar no mundo da imaginação e ser imortal. Não era aquela a meta a que aspirava toda vida humana?

Pela manhã tive de tirar Maria às escondidas de casa, depois de haver com ela partilhado meu café da manhã. Naquele mesmo dia aluguei um quarto nas imediações, destinado especialmente aos nossos encontros.

Minha professora de dança, Hermínia, compareceu, fiel ao compromisso, e tive de aprender o *boston*. Era severa e inflexível, e não me deixou um só momento, pois estava acertado que eu a acompanharia ao baile de máscaras. Pediu-me dinheiro para comprar uma fantasia, acerca da qual não quis me adiantar nenhum detalhe. Também me estava proibido visitá-la e mesmo saber onde morava.

Os dias que antecederam o baile de máscaras, umas três semanas, foram extraordinariamente belos. Maria me pareceu ser a primeira amada real que eu tinha tido. Sempre exigira das mulheres a quem amara que tivessem inteligência e educação, sem me dar conta de que nem mesmo a mulher mais espiritual e relativamente educada jamais dera resposta ao *logos* que havia em mim, mas, antes, se opunha a ele; confiava meus problemas e pensamentos às mulheres, e me havia parecido inteiramente impossível amar por mais de uma hora uma jovem que não lesse um livro, que não soubesse o que é ler, que não conseguisse distinguir uma peça de Tchaikovsky de uma de Beethoven. Maria não tinha nenhuma instrução, não necessitava desses rodeios nem desses substitutivos; seus problemas nasciam diretamente dos sentidos. Era seu ofício e sua tarefa extrair todo prazer sensorial e amoroso que fosse possível obter dos sentidos que possuía, com sua singular figura, com sua cor, seu cabelo, sua voz, sua pele, seu temperamento; e encontrar e provocar nos amantes resposta, compreensão, réplica prazerosa a cada uma de suas habilidades, a cada curva de sua linha, a cada suave modelado de seu corpo. Já naquela primeira vez em que dancei com ela senti tudo isso, hauri aquele aroma de genial e encantadora sensualidade, e por isso fiquei encantado. Também é certo que não foi por casualidade que Hermínia, a que tudo sabe, me encaminhou para Maria. Seu aroma e todo o seu timbre eram estivais e róseos.

Não tive a sorte de ser o único amante de Maria, nem o preferido; era um dos vários. Amiúde não tinha tempo que me pudesse dedicar; às vezes só uma hora pela tarde, raramente à noite. Não queria receber dinheiro; Hermínia estava certamente por trás de tudo aquilo. Mas aceitava sim, com satisfação, meus presentes, e quando lhe presenteei com uma carteira de couro vermelho laqueado, coloquei dentro dela duas ou três moedas de ouro. O porta-moedas, entretanto, fez-me cair em ridículo diante dela! Era muito bonito, mas fora uma pechincha e já estava fora de moda. Dessas coisas, de que estava pouco inteirado e entendia menos que a linguagem dos esquimós, aprendi muito com Maria. Soube que aqueles pequenos adereços e objetos de luxo e de moda não eram simples futilidades inventadas pelo comércio ganancioso, mas um pequeno, ou antes, um grande mundo de coisas necessárias, belas, variadas, que não tinham outro sentido senão servir ao amor, afinar os sentidos, animar o ambiente morto e dotá-lo prodigiosamente com novos órgãos amorosos, desde os pós e perfumes até os sapatos de baile, desde os anéis às cigarreiras, dos cintos às bolsas. As carteiras não eram carteiras, os porta--moedas não eram porta-moedas, as flores não eram flores, os leques não eram leques — tudo era o material plastificante do amor, da magia, da sedução; era mensageiro, contrabandista, arma, grito de guerra.

Muitas vezes pensei quem seria o verdadeiro amor de Maria. Havia muitas possibilidades de que fosse o jovem Pablo, o do saxofone, o dos olhos negros e das mãos longas, brancas, nobres e melancólicas. Eu imaginava Pablo um tanto indolente para o amor, por ser algo mimado e passivo, mas Maria me assegurou que ele era de fato um tanto lento para excitar-se, mas que depois era tão pertinaz, exigente e másculo quanto qualquer boxeador ou mestre de equitação. E desta forma aprendi e fiquei sabendo de segredos sobre um e outro, sobre músicos de jazz e artistas de teatro, sobre muitas mulheres, moças e homens de nosso convívio; soube toda a classe de segredos, vi abaixo da superfície uniões e inimizades, e eu, que fora neste mundo um corpo estranho sem relação com ninguém, acabei por ver-me absorvido por completo. Também soube muitas coisas de Hermínia. E de Pablo, com quem me encontrava com frequência, porque Maria o amava muito. Às vezes ele empregava seus meios secretos, também me fazia sentir de vez em quando aquela sensação, e sempre se me mostrava amistoso e serviçal. Certa vez me disse sem rodeios:

— Você é muito infeliz. Isso é mau. Não se deve ser assim. Causa-me pena. Por que não tenta fumar um pouco de ópio?

Minha opinião sobre aquele homem alegre, prudente, infantil e ao mesmo tempo insondável ia continuamente se modificando; ficamos amigos e algumas vezes provei suas drogas. Encarava meu caso com Maria com certo ar de divertimento. Certa vez preparou uma "festa" para nós em seu quarto, uma água-furtada de um hotel de subúrbio. Só havia uma cadeira, de modo que eu e Maria tivemos de nos sentar na cama. Deu-nos a beber um estranho e misterioso elixir, que se compunha da mistura de três garrafas. E logo quando comecei a demonstrar bom humor, propôs-nos, com um olhar muito brilhante, que celebrássemos uma orgia amorosa a três. Neguei-me prontamente, aquilo não me agradava nada; mas olhei por um momento para Maria a fim de ver como tomara o caso, e embora ela concordasse com minha recusa, vi o ardor de seu olhar e percebi seu desgosto pela minha renúncia. Pablo estava desapontado com a recusa, embora não ofendido.

— É uma pena — disse. — Harry é moralista em excesso. Nada se pode fazer. Teria sido tão bonito! Mas tenho outra ideia!

Deu-nos a cada um uma tragada de ópio, e, sentados imóveis, vivemos os três as cenas sugeridas por ele, ante as quais Maria tremia de prazer. Quando comecei a sentir-me mal, Pablo estendeu-me na cama, deu-me umas gotas de um remédio, e quando cerrei por uns instantes os olhos, senti nas pálpebras uns beijos suaves e delicados. Aceitei-os crendo me viessem de Maria, mas comprovei que me vinham dele.

Numa outra noite, surpreendi-me ainda mais. Apareceu em minha casa, dizendo-me que necessitava de 20 francos e se eu lhe podia arranjar. Pediu-me em troca que dispusesse aquela noite de Maria em seu lugar.

— Pablo — disse-lhe, muito chocado —, você não sabe o que está dizendo. Ceder a amante a outro por dinheiro é algo que consideramos de todo vergonhoso. Vou fingir que não ouvi sua proposta.

Olhou para mim compassivo.

— Então não quer, Sr. Harry? Pois bem. Você mesmo é quem cria dificuldades. Pois então não durma esta noite com Maria, mas me dê o dinheiro assim mesmo, que depois lhe devolvo. Tenho muita necessidade dele.

— Para quê?

— Para Agostino, sabe quem é? O rapaz do segundo violino. Há oito dias que está de cama e não tem ninguém para cuidar dele; está sem um níquel e meu dinheiro também se acabou.

Por curiosidade e também um pouco por autopunição, fui com ele ver Agostino. Levou-lhe leite e remédios ao terrível pardieiro em que vivia. Fez-lhe a cama e arejou o ambiente e preparou com mãos habilidosas uma compressa que lhe aplicou à testa febril, tudo com a rapidez, a delicadeza e a eficácia de uma boa enfermeira. Na mesma noite vi-o tocar até de madrugada nos salões do City-Bar.

Falei frequentemente com Hermínia a respeito de Maria, de suas mãos, de seus ombros, de sua cintura e de sua maneira de rir, de beijar e de dançar.

— Já lhe ensinou isto? — perguntou Hermínia certa vez quando me descreveu determinado movimento de língua ao beijar.

Roguei-lhe que me ensinasse ela própria, mas olhou-me muito séria e respondeu:

— Isso virá mais tarde; ainda não sou sua amante.

Perguntei-lhe como sabia a maneira de beijar de Maria e outras particularidades sobre seu corpo, só conhecidas por seus amantes.

— Oh! — exclamou —, porque somos amigas. Você acha que temos segredos uma para a outra? Já dormi várias vezes com ela e praticamos juntas o amor. Você arranjou uma garota muito bonita, que sabe amar melhor do que ninguém.

— Acho, no entanto, Hermínia, que ainda há segredo entre vocês. Já lhe contou tudo que sabe a meu respeito?

— Não, isso é outra coisa, que não compreenderia. Maria é prodigiosa. Você teve sorte. Mas entre mim e você existem coisas que ela não suspeita. Falei-lhe muito a seu respeito, muito mais do que você gostaria que eu falasse. Tinha de seduzi-la para você! Mas compreenda, meu amigo. Assim como eu o conheço, nem Maria nem nenhuma outra seria capaz de conhecer. Também soube de muitas coisas por intermédio dela; e a seu respeito, Harry, sei tudo quanto Maria sabe. Conheço-o tão bem como se tivéssemos dormido juntos com frequência.

Quando voltei a estar com Maria, causou-me surpresa e mistério saber que ela tivera Hermínia em seus braços da mesma forma como tivera a mim; que havia sentido, beijado, provado e acariciado cada um de seus membros, seus cabelos, sua pele, da mesma forma como fizera comigo. Surgiram diante de mim novas, indiretas e complexas relações, novas possibilidades de amor e de vida, que me levaram a pensar nas mil almas do *Tratado do Lobo da Estepe*.

No breve intervalo entre meu conhecimento com Maria e o grande baile de máscaras eu fora inteiramente feliz, e nunca me passara pelo pensamento que isso fora uma libertação, uma bem-aventurança alcançada, mas antes sentia claramente que tudo aquilo era um prelúdio e uma preparação, que tudo isso caminhava energicamente para diante, que o verdadeiro haveria de chegar.

Já sabia dançar, tanto assim que agora me parecia possível enfrentar o baile de que se falava cada dia mais. Hermínia tinha um segredo, que guardava resoluta, sobre o traje que vestiria no baile de máscaras. Eu a reconheceria imediatamente, dizia ela, e se não conseguisse, ela me ajudaria. Mas não devia saber nada com antecedência. Também não demonstrou curiosidade em saber qual seria o meu disfarce, e por isso resolvi não me disfarçar. Maria, quando fui convidá-la para o baile, disse-me que já tinha acompanhante para a festa; já estava com o convite, e concluí, decepcionado, que eu iria assistir ao baile sozinho a um canto. Tratava-se do mais famoso baile de máscaras que os artistas promoviam todos os anos no Teatro Globo.

Durante esses dias, pouco vi Hermínia, mas na véspera do baile esteve um instante em minha casa — veio apanhar o convite que eu adquirira para ela — e sentou-se tranquilamente junto a mim em meu quarto, iniciando logo uma conversação, extraordinária para mim e que me causou profunda impressão.

— A dança está lhe causando um grande bem — disse. — Quem o visse há quatro semanas, hoje não o reconheceria.

— Concordo — disse eu. — Há anos que não me sinto tão bem. E isso eu devo a você, Hermínia.

— A mim, não; à formosa Maria.

— Não. Também ela foi um presente seu. Ela é maravilhosa.

— É a amante de que você necessitava, Lobo da Estepe. Bonita, jovem, alegre, muito prudente no amor e não para ser desfrutada todos os dias. Se não tivesse de compartilhá-la com outros, se ela não fosse uma hóspede fugitiva em sua casa, as coisas não iriam tão bem.

Sim, também tive de concordar com isso.

— Então, agora tem tudo de que necessita?

— Não, Hermínia, não é bem assim. Tenho algo maravilhoso e encantador, uma grande alegria, um adorável consolo. Sou realmente feliz.

— Então, que quer mais?

— Quero mais. Não estou satisfeito em ser feliz, não fui criado para isso, não é este o meu destino. Meu destino é exatamente o contrário.

— Ser infeliz? Mas isso você era antes, quando não queria voltar para casa com medo da navalha.

— Não, Hermínia, é algo mais. Àquela época, concordo, eu era muito infeliz. Mas tratava-se de uma infelicidade idiota que não conduzia a nada.

— Por quê?

— Porque eu não devia sentir medo da morte se ao mesmo tempo a desejava. A infelicidade de que necessito e por que anseio é diferente; é uma infelicidade que me permitiria sofrer com ânsia e morrer com prazer. Essa é a infelicidade, ou felicidade, por que anseio.

— Compreendo. Nisso somos iguais. Mas que tem contra a felicidade que encontrou agora com Maria? Por que não está contente?

— Não tenho nada contra essa felicidade. Oh, não! Gosto de Maria. Estou satisfeito com ela. É maravilhosa como um dia de sol em meio a um verão chuvoso. Mas sinto que isso não pode durar. Além do mais, trata-se de uma felicidade infrutífera. Dá satisfação, mas a satisfação não é alimento para mim. Faz adormecer o Lobo da Estepe, torna-o dócil. Mas não é uma felicidade pela qual se possa morrer.

— Mas é forçoso morrer por alguma coisa, Lobo da Estepe?

— Creio que sim! Minha felicidade enche-me de contentamento e posso suportá-la ainda por algum tempo. Mas quando a felicidade me permite um pouco de reflexão, aí meu desejo não é o de mantê-la para sempre, mas antes voltar a sofrer, só que de maneira mais bela e menos lamentável do que antes. Anseio por uma dor que me prepare e me faça desejar a morte.

Hermínia olhou-me carinhosamente nos olhos com um sombrio olhar que surgiu de repente. Soberbos e promissores olhos! Lentamente, buscando as palavras uma por uma, e colocando-as uma após outra, disse, em voz tão baixa que tive de esforçar-me para ouvi-la:

— Quero dizer-lhe hoje uma coisa que já sei há muito e que você também sabe, mas que talvez nunca a confessou a si mesmo. Quero dizer-lhe agora o que sei de mim, de você, de nosso destino. Você, Harry, sempre foi um artista e um pensador, um homem cheio de fé e de alegria, sempre no encalço do grande e do eterno, nunca se contentando com o bonito e o mesquinho. Mas quanto mais foi despertado pela vida e conduzido para dentro de si mesmo, tanto maior se tornou sua necessidade, tanto mais fundo mergulhou no sofrimento, na timidez, no desespero; mergulhou até o pescoço, e tudo o que no passado conheceu, amou e venerou como belo e santo, toda a sua fé de então nos homens e em nosso elevado destino, nada pôde ajudá-lo, tudo perdeu o valor e se fez em pedaços. Sua fé não encontrou mais ar que respirasse. E a morte por asfixia é uma morte muito dura. Não é verdade, Harry? Não é este o seu destino?

Eu assentia, assentia e assentia.

— Você trazia no íntimo uma imagem da vida, uma fé, uma exigência; estava disposto a feitos, a sofrimentos e sacrifícios, e logo aos poucos notou que o mundo não lhe pedia nenhuma ação, nenhum sacrifício nem algo semelhante; que a vida não é nenhum poema épico, com rasgos de heróis e coisas parecidas, mas um salão burguês, no qual se vive inteiramente feliz com a comida e a bebida, o café e o tricô, o jogo de cartas e a música de rádio. E quem aspira a outra coisa e traz em si o heroico e o belo, a veneração pelos grandes poetas ou a veneração pelos santos, não passa de um louco ou de um Quixote. Pois bem, meu amigo, comigo também foi assim! Eu era uma jovem bem-dotada, com vocação para viver dentro de um elevado padrão, para esperar muito de mim mesma e para realizar grandes feitos. Poderia ter um belo futuro, ser a esposa de um rei, a amante de um revolucionário, a irmã de um gênio, a mãe de um mártir. E a vida só me permitiu ser uma cortesã de mediano bom gosto, o que já se vai tornando bastante difícil para mim! Foi isso o que me aconteceu. Fiquei algum tempo desconsolada e procurei com afinco a culpa em mim mesma. A vida, pensava eu, sempre acaba tendo razão, e se a vida se ria dos meus belos sonhos, pensava, era porque meus sonhos tinham sido estúpidos e irracionais. Mas isso não me valeu de nada. Mas como tivesse bons olhos e ouvidos, e, além disso, fosse curiosa, examinei a vida com certa atenção, observei meus vizinhos e conhecidos, mais de cinquenta pessoas e destinos, e percebi então, Harry, que meus sonhos estavam certos, estavam mil vezes certos, assim como os seus. Mas a vida, a realidade, não tinha razão. O fato de uma mulher da minha classe não ter alternativa senão envelhecer de uma maneira insensata e pobremente junto a uma máquina de escrever a serviço de um capitalista, ou casar--se com ele por seu dinheiro ou converter-se numa espécie de meretriz, era tão injusto quanto o de um homem como você, solitário, tímido e desesperado, ter de recorrer à navalha de barbear. Talvez a miséria em mim fosse mais material e moral, e em você mais espiritual; mas o caminho era o mesmo. Pensa que eu não pude reconhecer sua angústia diante do foxtrote, sua repugnância pelos bares e pelos *dancings*, sua hostilidade para com a música de jazz e tudo mais? Compreendia, e muito bem, como compreendia seu horror pela política, sua tristeza pelo palavreado vão e a conduta irresponsável dos partidos e da imprensa; seu desespero diante da guerra, as passadas e as futuras; pela maneira como hoje se pensa, se lê, se edifica, se compõe música, se celebram as festas e se educa! Você tem razão, Lobo da Estepe, mil vezes razão, e contudo terá de perecer. Vive demasiadamente faminto e cheio de desejos para um mundo tão singelo, tão cômodo, que se contenta com tão pouco;

para o mundo de hoje em dia, que lhe cospe em cima, você tem uma dimensão a mais. Quem quiser hoje viver e satisfazer-se com sua vida, não pode ser uma pessoa assim como você e eu. Quem quiser música em vez de balbúrdia, alegria em vez de prazer, alma em vez de dinheiro, verdadeiro trabalho em vez de exploração, verdadeira paixão em vez de jogo, não encontrará guarida neste belo mundo...

Olhou para baixo, meditando.

— Hermínia! — exclamei afetuosamente. — Irmã, como você vê as coisas claramente! E no entanto foi você quem me ensinou a dançar o fox! Mas por que diz que as pessoas como nós, com uma dimensão a mais, não podem viver neste mundo? Em que consiste isso? Isso ocorre somente em nossa época ou sempre foi assim?

— Não sei. Quero admitir, em honra do mundo, que seja assim somente em nosso tempo, que tudo não passe de uma enfermidade, de um mal momentâneo. Nossos líderes trabalham sem descanso e com êxito na preparação da próxima guerra, e enquanto isso nós todos dançamos o fox, gastamos dinheiro e comemos confeitos; numa época assim o mundo sem dúvida parece bastante resignado. Esperemos que venham dias melhores, mais ricos, mais amplos, mais profundos. Mas isso pouco nos ajudará. E talvez sempre tenha sido assim...

— Sempre como é hoje? Sempre um mundo só para os políticos, os aproveitadores, os servis e os sibaritas, sem lugar para os indivíduos?

— Não sei, ninguém sabe. Mas isso também é indiferente. Agora já estou pensando em seu predileto, naquele, meu amigo, de quem você me falou tantas vezes e cujas cartas me leu: em Mozart. Que se passou com ele? Quem dominava o mundo em sua época, quem dava as cartas, quem imprimia o tom e tinha valor? Mozart ou os negociantes, Mozart ou o homem comum? E de que maneira morreu e foi enterrado? Por isso creio que talvez sempre tenha sido assim e sempre será, e o que na escola chamamos de História Universal e tudo quanto dela sabemos de cor sobre os heróis, os gênios, os grandes feitos e sentimentos, tudo não passa de uma grande farsa inventada pelos mestres para fins educacionais com o intuito de manter as crianças ocupadas por um determinado número de anos. Sempre foi e será assim: o tempo e o mundo, o dinheiro e o poder pertencem aos mesquinhos e superficiais, e nada coube aos outros, aos verdadeiros homens, nada a não ser a morte.

— Nada mais?
— Talvez a imortalidade.
— Quer dizer, um nome, a fama depois da morte?
— Não, Lobo da Estepe, a fama não. Terá ela algum valor? Você acredita que os homens realmente de valor e íntegros são famosos e serão conhecidos pela posteridade?
— Claro que não.
— Então não é a fama. A fama existe apenas para fins de ensino, é assunto para professores. Não, não é a fama. É o que chamo de imortalidade. Os piedosos chamam-no de reino de Deus. Penso comigo: todos nós, os que desejamos demasiadamente, os que temos uma dimensão a mais, não poderíamos viver se não existisse uma outra atmosfera onde respirar além da atmosfera deste mundo, se a eternidade não existisse além do tempo; e esse é o reino da Verdade. A ele pertencem a música de Mozart e os poemas dos grandes poetas que você admira; a ele pertencem os santos que operaram milagres, os que sofreram martírio e deram um grande exemplo aos homens. Mas também pertence à eternidade a imagem de um todo verdadeiro, a força de cada verdadeiro sentimento, ainda que desconhecido por

todos, ainda que ninguém o consigne e o preserve para a posteridade. Na eternidade não há futuro, mas apenas o presente.

— Você tem razão — disse-lhe.

— Os piedosos — prosseguiu, pensativa — sabem algo a esse respeito. Foi por isso que criaram os santos e inventaram a "comunhão dos santos". Os santos, ou seja, os verdadeiros homens, os jovens irmãos do Salvador. Durante toda nossa vida caminhamos em direção a eles através de cada uma de nossas belas ações, de cada um dos nossos bons pensamentos, em cada um de nossos amores. Os pintores representavam a princípio a comunhão dos santos sob a forma de um céu dourado, resplandecente, belo e cheio de paz, e isso não é outra coisa senão o que chamei há pouco de eternidade. É o reino que fica além do tempo e da luz. Pertencemos a ele, é nele que fica nossa pátria, para ele tende nosso coração, Lobo da Estepe, e por isso é que suspiramos pela morte. Ali você encontrará Goethe, Novalis, Mozart, e eu encontrei meus santos. São Cristóvão, São Felipe Néri e todos os demais. Há muitos santos que, a princípio, foram grandes pecadores; o pecado também pode ser um caminho para a santidade, o pecado e o vício. Você pode achar graça, mas com frequência penso que meu amigo Pablo também pode ser um santo encoberto. Ah, Harry, quanta miséria e desatino temos de passar para chegar a casa! E não temos ninguém que nos guie, a não ser nosso desejo de chegar.

Suas últimas palavras, voltou a pronunciá-las em voz baixa, e houve silêncio no quarto; o sol se punha, fazendo brilhar o ouro das lombadas dos livros. Tomei a cabeça de Hermínia entre as mãos, beijei-a na testa e juntamos as faces fraternalmente, e assim permanecemos por um momento. Gostaria de assim permanecer por toda a noite, mas havia marcado encontro com Maria, nesta última noite que antecedia o baile.

Indo-lhe ao encontro, não pensava nela, mas no que me dissera Hermínia. Talvez aqueles pensamentos não tivessem sido seus, mas antes meus, e a vidente os lesse e se apropriasse deles, para em seguida devolvê-los a mim sob uma nova forma. Naquele instante estava-lhe muito grato por haver expressado o pensamento da eternidade. Eu necessitava dele, sem ele não poderia viver, e muito menos morrer. O bendito além, fora do tempo, o mundo do eterno valor, da substância divina, me fora presenteado hoje por aquela amiga, que me ensinara a dançar. Fui forçado a lembrar-me de meu sonho com Goethe, na imagem do velho sábio que sorriu tão desumanamente de mim, fazendo--me objeto de seu escárnio imortal. Compreendia agora o riso de Goethe, o riso do imortal. Era um riso sem motivo, era só luz, claridade; o que resta de um homem verdadeiro que passou pelos sofrimentos, vícios, erros, paixões e mal-entendidos dos homens e entrou no eterno, no cosmos. E a *eternidade* não era outra coisa senão a libertação do tempo; era, de certo modo, a volta à inocência, o regresso ao espaço.

Fui procurar Maria no lugar onde habitualmente nos encontrávamos para jantar, mas ela ainda não havia chegado. Naquele tranquilo restaurante de subúrbio, sentado à mesa já posta, esperei-a com o pensamento nesta última conversação. Todos aqueles pensamentos que Hermínia e eu havíamos trocado me pareciam tão familiares e já tão conhecidos como se fossem criados por minha própria mitologia e por meu mundo de imagens! De onde me eram tão familiares os imortais, que vivem no espaço sem tempo, libertos, convertidos em imagens com a cristalina eternidade a envolvê-los como éter, e a fria alegria estelar resplandecente desse mundo supraterreno? Enquanto refletia, passagens das *"Cassations"*, de Mozart, e do *"Cravo bem temperado"*, de Bach, vieram-me à mente e pareceu-me ver nessa música a fria claridade estelar, a claridade etérea. Sim, ali estava. Aquela música era algo assim como tempo congelado no espaço, e sobre ele vibrava infinitamente uma alegria sobre-humana, um eterno riso divino. Sim, e como o velho Goethe de meu sonho se harmonizava bem com tudo aquilo! De repente, senti a meu redor aquele riso imortal. Fiquei estarrecido. Estarrecido, busquei um lápis no bolso do casaco, procurei uma folha de papel, encontrei a lista de vinhos, virei-a no verso, e nela escrevi um poema, que dias depois encontrei no bolso, e que dizia:

Os Imortais

Dos vales terrenos
chega até nós o anseio da vida:
impulso desordenado, ébria exuberância,
sangrento aroma de repastos fúnebres.
São espasmos de gozo, ambições sem termo,
mãos de assassinos, de usurários, de santos,
o enxame humano fustigado pela angústia e pelo prazer.
Lança vapores asfixiantes e pútridos, crus e cálidos,
respira beatitude e ânsia insopitada,
devora-se a si mesmo para depois se vomitar.

Manobra a guerra e faz surgir as artes puras,
adorna de ilusões a casa do pecado,
arrasta-se, consome-se, prostitui-se todo
nas alegrias de seu mundo infantil;
ergue-se em ondas ao encalço de qualquer novidade
para de novo retombar na lama.

Já nós vivemos
no gelo etéreo transluminado de estrelas;
não conhecemos os dias nem as horas,
não temos sexos nem idades.
Vossos pecados e angústias,
vossos crimes e lascivos gozos,
são para nós um espetáculo como o girar dos sóis.
Cada dia é para nós o mais longo.
Debruçados tranquilos sobre vossas vidas,
contemplamos serenos as estrelas que giram,
respiramos o inverno do mundo sideral;
somos amigos do dragão celeste:
fria e imutável é nossa eterna essência,
frígido e astral o nosso eterno riso.

Logo chegou Maria, e depois de um alegre jantar acompanhei-a ao nosso pequeno apartamento. Naquela noite estava mais linda, mais fervente e íntima do que nunca, e me fez sentir carícias e prazeres que me pareceram o máximo da entrega.

— Maria — disse-lhe —, você está hoje tão pródiga quanto uma deusa. Não vamos nos matar a ambos; afinal de contas, amanhã é o dia do baile. Quem será seu acompanhante? Temo, minha flor, que seja um príncipe encantado, que levará você e nunca mais a verei. Hoje você me amou como fazem os bons amantes ao se despedirem, quando se amam pela última vez.

Aproximou os lábios de meu ouvido e disse sussurrante:

— Não diga isso, Harry! Cada vez pode ser a última. Quando Hermínia o agarrar, nunca mais você voltará para mim. Quem sabe se será amanhã?

Nunca tinha provado com tanta intensidade a sensação característica daqueles dias, aquela prodigiosa e agridoce dualidade de ânimo, como nessa noite antes do baile. Era felicidade o que eu sentia: a beleza e a entrega de Maria, o usufruir, apalpar e respirar cem finas e nobres sensações, que tão tarde havia conhecido; estava banhado por uma suave e oscilante onda de prazer. E isso era apenas o invólucro; por dentro estava repleto de significado, de tensão, de destino, e enquanto me ocupava amorosa e delicadamente com as doces e comovedoras sutilezas do amor, flutuando aparentemente em delícias mornas e harmoniosas, sentia no coração como o meu destino avançava a toda pressa para a frente, galopando e golpeando o solo como um cavalo sem bridas, na direção do abismo, da queda, cheio de angústia, de anseios, cheio de abandono à morte. Tal como há pouco resistia com timidez e temor diante da agradável inconsciência do amor apenas carnal, tal como sentira angústia diante da beleza sorridente de Maria, disposta a entregar-se a mim, assim sentia agora angústia diante da morte, mas uma angústia que sabia capaz de transformar-se em abandono e em libertação.

Enquanto nos entregávamos silenciosamente ao afanoso jogo do amor e nos pertencíamos um ao outro mais intimamente do que nunca, minha alma despediu-se de Maria, despediu-se de tudo quanto ela havia significado para mim. Com ela aprendera a confiar uma vez mais infantilmente no jogo da superfície, a buscar fugazes alegrias, a ser criança e animal na inocência do sexo; uma situação que não conhecera em minha vida anterior senão em casos excepcionais, pois a vida dos sentidos e o sexo haviam tido quase sempre para mim um amargo sabor de culpa, o doce mas temeroso sabor de fruto proibido, diante do qual o homem de espírito deve estar sempre em guarda. Hermínia e Maria me haviam assinalado em sua inocência esse jardim, e eu fora seu hóspede agradecido; mas em breve seria tempo de sair dele, pois me sentia confortável demais nesse jardim. Era meu destino continuar aspirando pela coroa da vida na expiação de seus infinitos pecados. Uma vida fácil, um amor fácil, uma morte fácil — tais coisas não eram para mim.

Pelas alusões da moça, percebi que haviam planejado para o baile do dia seguinte ou para o fim dele algumas diversões singulares e libertinas. Seria aquilo o final? Maria estava certa em sua suposição de que estaríamos hoje juntos pela última vez? Começaria talvez amanhã uma nova fase de meu destino? Estava cheio de ardente anelo, de sufocante angústia, e me abraçava ferozmente a Maria, percorria, mais uma vez, vacilante e ansioso, todos os sendeiros e espessuras de seu jardim; voltei uma vez mais a morder o doce fruto da árvore do paraíso.

Recuperei na manhã seguinte o sono perdido durante a noite. Após um banho, regressei a casa morto de cansaço e fechei as cortinas; ao despir-me, encontrei no bolso da calça o poema; mas deixei-o ficar, deitei-me em seguida, esqueci Maria, Hermínia, o baile de máscaras, e dormi o dia inteiro. Quando me levantei, já de tarde, lembrei-me, enquanto me barbeava, de que faltava uma hora apenas para começar o baile e que eu tinha de arranjar uma camisa social. Aprontei-me bem-humorado e saí. Antes de mais nada, era preciso jantar.

Aquele era o primeiro baile de máscaras de que eu iria participar. É certo que já assistira a outras festas em tempos passados; vez por outra as achara agradáveis, mas em nenhuma eu dançara, nelas funcionando apenas como espectador; a animação com que ouvia outras pessoas descrevê-las e a alegria que demonstravam em sua participação sempre me pareceram algo cômico. Hoje o baile era também para mim um acontecimento, que me causava alegre entusiasmo, mas não isento de angústia.

Como não tivesse de levar uma dama em minha companhia, resolvi chegar tarde, segundo me havia recomendado Hermínia.

Há muito não ia ao Elmo de Aço, meu refúgio de outros tempos, onde vêm sentar-se os homens desiludidos para beber e jogar, pois essa atitude já não se harmonizava com a tranquilidade de minha vida atual. Mas, naquela noite, algo voltava a atrair-me para ali; no estado de espírito tímido e alegre, que me dominava de quando em vez, causado pelo destino e no limiar da despedida, todas as etapas e lugares de recordação de minha vida ganhavam mais uma vez aquele belo e doloroso resplendor do passado, e entre eles a pequena e úmida taberna, de que eu era um dos fregueses pouco tempo atrás, quando então me teria bastado o primitivo narcótico de uma garrafa de vinho para me dar forças de ir para casa e suportar a vida por mais um dia. Outros meios de poderoso encanto havia eu saboreado depois disso, havia sorvido doces venenos. Entrei, sorrindo, no local e fui acolhido por uma saudação do gerente e inclinações de cabeça de alguns fregueses silenciosos. Pedi um frango assado, serviram-mo, bem como vinho da Alsácia, que despejei no copo rústico de vidro grosso. As mesas de madeira, muito brancas e limpas, olhavam para mim amistosas, bem como os velhos lambris amarelos. E, enquanto bebia e comia, aumentou dentro de mim aquele sentimento de decadência e despedida, esse doce, doloroso e íntimo sentimento de uma aderência que não se desprendia, embora já estivesse madura para tanto; uma aderência de todos os pontos de vista e coisas de minha vida anterior. O homem moderno chama a isso sentimentalismo; já não ama as coisas inanimadas, nem mesmo ao seu mais sagrado objeto, seu automóvel, que está sempre querendo trocar por outro, mais novo. O homem moderno é enérgico, capaz, são, frio e rígido — um tipo excelente, que será um milagre de eficiência na próxima guerra. Mas tudo isso nada me importa. Não sou um homem moderno, nem também um antiquado. Estava fora do tempo e me arrastava em direção à morte, que desejava. Nada tinha contra o sentimentalismo, estava alegre e agradecido de sentir ainda em meu coração algo assim como alguns sentimentos. De modo que me entreguei às recordações que a velha taberna suscitava em mim, e a simpatia que me despertavam aquelas velhas cadeiras maciças, o odor a fumo e a vinho que eram para mim como um resplendor do habitual, do cálido, do caseiro, pois todos estes significados tinha a taberna para mim. Despedir-se é belo, doce. O banco duro pareceu-me agradável e bem assim o copo rústico; apreciava o vinho da Alsácia, apreciava minha confiança em todas e em cada uma das coisas daquele lugar; amava a fisionomia dos bebedores, que estavam sentados a sonhar e dos quais eu fora irmão por algum tempo. Sentimentos burgueses eram os que aqui experimentava, levemente enraizados com um aroma de pousada romântica de meus tempos de rapaz, quando ainda me estavam vedadas as tabernas, o vinho e o fumo. Mas não se levantou nenhum lobo da estepe para estraçalhar com os dentes em riste meu sentimentalismo. Estava sentado pacificamente à luz do passado que no seu crepúsculo ainda irradiava um doce resplendor.

Chegou um vendedor ambulante vendendo castanhas assadas e lhe comprei um punhado. Veio uma velha vendendo flores e lhe comprei dois cravos, dando-os de presente à dona da casa. Quando fui pagar e procurei em vão pelo meu bolso do paletó foi que me dei conta de que estava vestido a rigor. O baile de máscaras! Hermínia!

Contudo, ainda era cedo e não consegui convencer-me de ir desde já para o Globo. Também senti — como era hábito ultimamente em todas essas diversões — alguma resistência, algum impedimento, uma oposição a entrar em locais amplos, abarrotados de gente e cheios de ruídos, uma timidez escolar diante de uma atmosfera estranha, diante do mundo dos elegantes, diante do baile.

Vagando, passei diante de um cinema, com suas luzes cintilantes e enormes cartazes de cores resplandecentes; passei ao largo alguns passos, mas voltei e entrei. Ali poderia sentar-me tranquilamente até as onze horas. Guiado pelo vaga-lume com sua lanterninha, encontrei um lugar, não antes de haver tropeçado com as cortinas do salão às escuras. E de súbito me encontrei em meio ao Velho Testamento. A película era uma dessas que, segundo afirmavam, não tinham intenções comerciais, mas feita com propósitos mais puros e nobres, dessas a que os professores de religião levam seus alunos para ver nas matinês. Representava a história de Moisés e dos israelitas no Egito, com grandes massas humanas, cavalos, camelos, palácios, esplendores faraônicos e misérias do povo judeu nas ardentes areias do deserto. Lá estava Moisés, com seus longos cabelos e barbas à maneira de Walt Whitman, um Moisés magnífico e teatral, com um enorme báculo e seu andar de Wotan, caminhando com todo fervor e austeridade pelo deserto, à frente dos judeus. Vi-o implorando a Deus junto ao mar Vermelho, e vi as águas se abrirem para ele de um e de outro lado, deixando-lhe um caminho livre, um caminho cortado entre as montanhas de águas represadas (os meninos que os professores de religião trazem a ver a película certamente discutiram sobre a maneira como os cineastas haviam conseguido executar a cena); vi o profeta e seu povo temeroso atravessando o mar, vi aparecer no encalço deles os carros de guerra do faraó, vi os egípcios se deterem vacilantes à orla do mar, depois avançarem valentemente pela brecha e em seguida caírem sobre eles as montanhas de água afogando a magnificência e o esplendor dos carros do faraó e de seus guerreiros, que me recordou um dueto para baixos de Händel, no qual esta passagem aparece maravilhosamente descrita. Vi Moisés subindo depois ao monte Sinai, um herói adusto numa adusta confusão de penedos, e vi como Jeová lhe foi transmitindo entre trovões e relâmpagos os dez mandamentos, ao passo que seu indigno povo erigia o bezerro de ouro aos pés da montanha e se entregava a regozijos bastante desorbitados. Era para mim prodigioso e surpreendente contemplar tudo aquilo e ver representada a História Sagrada, com seus santos e milagres, que em nossa juventude nos permitiram pressentir confusamente um outro mundo, ali, diante daquele público agradecido, que comia em silêncio as guloseimas que trouxera consigo, além de poder admirar uma pequena e formosa estátua de Ramsés e a cultura daqueles tempos. Meu Deus, teria sido preferível que perecessem, além dos egípcios, os judeus e os outros povos, de morte violenta e digna, em vez dessa cruel e pretensa morte aos bocados por que passamos hoje em dia. Mil vezes preferível!

Meus secretos impedimentos, meus temores diante do baile de máscaras não haviam diminuído com o filme e suas emoções, mas antes aumentado desagradavelmente, tanto que tive de concentrar meus pensamentos em Hermínia para me encaminhar ao Globo e penetrar no salão. Já era tarde da noite e o baile estava em seu máximo esplendor; logo me vi envolto pela multidão de mascarados, empurrado daqui para lá, solicitado pelas garotas para que as convidasse ao champanha, recebendo dos pierrôs tapinhas nos ombros e tratado por todos com a maior intimidade. Não fazendo caso de nada, aproximei-me com dificuldade do vestiário. Quando recebi o cartão numerado, guardei-o cuidadosamente num dos bolsos, pensando que decerto iria usá-lo de volta se aquela multidão continuasse a aborrecer-me como estava.

Em todos os salões do grande edifício se acotovelava a gente festiva; dançava-se em todas as salas, até nos corredores; escadas e patamares estavam cheios de mascarados, bailarinos, música, risos e júbilo. Fui caminhando como pude, oprimido, de uma sala onde tocava uma orquestra de negros até outra onde havia uma banda de aldeões, do grande salão resplandecente até a entrada, das escadarias até o bar, o *buffet*, os nichos onde serviam champanha. As paredes estavam quase inteiramente cobertas de quadros e desenhos festivos e bárbaros, pintados por jovens artistas. Todos lá estavam, artistas, jornalistas, professores, comerciantes, e também, naturalmente, todos os notáveis da cidade. Numa das orquestras tocava Pablo, soprando com entusiasmo no seu tubo recurvo: quando me reconheceu, reforçou a intensidade de suas notas, à guisa de cumprimento. Empurrado pela multidão, entrava numa ou noutra sala, subia ou descia uma escada; o saguão de entrada fora decorado pelos artistas com motivos do inferno, e a música era executada por demônios furiosos. Pouco a pouco comecei a preocupar-me por não ver Hermínia nem Maria; lancei-me em sua busca, tentei várias vezes penetrar no grande salão, mas era sempre detido pela multidão que vinha em sentido contrário. À meia-noite ainda não havia encontrado ninguém; embora não tivesse dançado ainda, estava todo suado e aborrecido; deixei-me cair sobre a primeira cadeira que encontrei vaga, entre pessoas estranhas; pedi vinho e compreendi que uma festa tão ruidosa não era para um velho como eu. Resignado, tomei meu copo de vinho, olhei fixamente para os ombros e os braços nus das mulheres em torno, vi passar muitas máscaras grotescas, pus-me a atirar confete e serpentinas, despachei com um gesto as duas garotas que queriam sentar-se em meus joelhos ou dançar comigo. "Velho urso", gritou-me uma delas, e tinha razão. Decidi animar-me bebendo, mas o vinho também me caiu mal, pois não cheguei a tomar um segundo copo. E pouco a pouco comecei a sentir que o Lobo da Estepe estava atrás de mim com a língua de fora. Não me sentia à vontade, estava desambientado. Viera com a melhor das intenções para me divertir, mas não conseguia encontrar alegria, e todo aquele riso e exagerado regozijo me pareciam estúpidos e fora de propósito.

E aconteceu que, decepcionado e insatisfeito comigo mesmo, ao fim de uma hora aproximei-me do vestiário para apanhar meu casaco e ir-me embora. Era uma derrota, um retorno ao Lobo da Estepe, e Hermínia não me perdoaria. Mas não podia fazer outra coisa. No difícil avançar através da multidão até o vestiário examinei atentamente as pessoas, para ver se descobria minhas amigas. Mas em vão. Já estava diante do balcão do vestiário; a moça estendeu a mão para receber o cartão numerado, que eu buscava encontrar no bolso do *smoking*: o cartão não estava ali! Diabo, era só o que faltava! Durante minha penosa peregrinação entre a gente alvoroçada, enquanto estive sentado a tomar vinho, lutando com o desejo de sair dali, tinha apalpado mais de uma vez o bolso constatando a existência do cartão em seu devido lugar. Mas agora já não o encontrava. Tudo estava contra mim.

— Perdeu o cartão? — perguntou junto a mim um diabinho vermelho e amarelo. — Não seja por isso, meu camarada, pode usar o meu.

E me entregou um cartão. Enquanto o apanhava mecanicamente e o virava entre os dedos, o ágil diabinho desapareceu.

Quando aproximei dos olhos o cartão, comprovei que não trazia nenhum número, mas uma inscrição em letras miúdas.

Pedi à moça do vestiário que esperasse, aproximei-me do primeiro foco de luz e li. Nele havia garatujada qualquer coisa, em caracteres miúdos e vacilantes, difíceis de ler:

> HOJE A PARTIR DAS QUATRO NO TEATRO MÁGICO
> SÓ PARA LOUCOS
> ENTRADA AO PREÇO DA RAZÃO
> PARA OS RAROS SOMENTE
> HERMÍNIA ESTÁ NO INFERNO

Como uma marionete, cujos fios tivessem escapado dos dedos de seu manipulador, após uma morte breve e rígida e num momentâneo embotamento dos sentidos, volta a reanimar-se, volta a entrar em ação, a dançar e a agitar-se, assim corri, como arrastado por um fio mágico, para o tumulto donde há pouco fugira fatigado, desanimado e envelhecido, correndo então elástico, jovem e diligente. Nunca nenhum pecador empregou tamanha diligência em correr para o inferno. Pouco antes me incomodavam os sapatos de verniz, o ambiente carregado de perfume; o calor me desagradava e abatia; agora corria célere sobre os pés alados ao compasso do *one-step*, pela sala, em direção do inferno; senti o ambiente cheio de encanto, fui carregado pelo calor, por aquela música estridente, pela orgia de cores, de perfume de ombros femininos, do múltiplo rumor de vozes e risos, de compassos de dança, de resplendor de todos aqueles olhos acesos. Uma bailarina espanhola refugiou-se entre os meus braços.

— Vamos dançar?

— Não posso — disse. — Tenho de ir ao inferno. Mas receberia com prazer um beijo teu.

A boca rubra que havia sob a máscara veio em busca da minha e ao primeiro beijo reconheci Maria. Agarrei-a firmemente entre os braços; como uma rosa madura do verão, sua boca florescia. E dançamos de lábios colados, passando assim diante de Pablo, que estava enlevado com o ritmo de seu instrumento, e seu olhar de animal formoso envolveu-nos brilhante e meio ausente. Mas antes que tivéssemos dançado vinte passos a música parou; com desagrado, deixei que Maria se soltasse de meus braços.

— Gostaria tanto de dançar mais — disse-lhe, encantado com seu ardor. — Adoraria que a dança tivesse durado mais uns passos. Estou apaixonado pelo seu braço divino. Deixa-me tomá-lo por mais um instante. Mas, sabe? Hermínia me chamou. Está no inferno.

— Já suspeitava. Vai, então, Harry; continuarei a querer-lhe bem.

Despediu-se de mim. Era o adeus, era o outono, era o destino que havia feito a rosa de verão lançar seus aromas mais puros.

Continuei a correr pelos amplos corredores cheios de deliciosos apertos; desci a escada em direção ao inferno. Ali ardiam nas paredes negras como breu umas lâmpadas deslumbrantes, e a orquestra de diabos tocava frenética. Num banco alto do bar estava sentado um lindo jovem, sem máscara, vestido de fraque, que me olhou um instante com olhos irônicos. Eu estava espremido contra a parede, porque havia mais de vinte pares bailando no estreito recinto. Angustiado e ansioso, examinava todas as mulheres, a maioria ainda de máscara; algumas me sorriam, mas nenhuma era Hermínia. O jovem do bar continuava a olhar para mim ironicamente. No próximo intervalo da música, pensei, Hermínia virá ao meu encontro. A música parou, mas ninguém apareceu.

Aproximei-me do bar, que estava localizado a um canto do recinto. Sentei-me ao lado do jovem e pedi uísque. Enquanto bebia, olhei o perfil do jovem, que me pareceu muito conhecido e encantador, como uma imagem dos tempos antigos, surgindo através do véu da poeira do passado. Oh, disse para mim mesmo, num estremecimento: era Hermann, meu amigo de infância!

— Hermann! — disse, vacilante.

Ele sorriu.

— Harry. Então me encontraste?

Era Hermínia. Pouco maquiada e um tanto despenteada, seu rosto inteligente aparecia um tanto pálido sobre o rijo pescoço; as mãos pareciam prodigiosamente pequenas na negrura das mangas do fraque, com seus punhos brancos à mostra; admiravelmente delicados pareciam seus pés metidos nuns sapatinhos de seda, pretos e brancos, de forma masculina, na extremidade das calças largas e negras.

— Este é o traje com que pensas fazer-me apaixonar por ti, Hermínia?

— Até agora — disse ela — já consegui fazer várias damas se apaixonarem por mim. Chegou tua vez. Mas antes tomemos uma taça de champanha.

Assim fizemos, sentados em nossos altos assentos de bar, enquanto junto a nós continuava o baile e ressoavam as estridências da música. E sem que Hermínia empregasse muito cuidado, ao que parece, de súbito me senti enamorado dela. Como estivesse vestida com trajes masculinos, não podíamos dançar nem podia permitir-me qualquer carícia, e, enquanto permanecia distante e neutra em suas vestes de homem, envolvia-me em olhares, em palavras, em gestos que tinham todos os encantos de sua feminilidade. Sem sequer tocar-lhe, fiquei subjugado por seu encanto, e esse encanto residia em seu disfarce, no seu hermafroditismo. Depois esteve conversando comigo a propósito de Hermann e da infância, da minha e da sua, daqueles anos anteriores à puberdade, em que a capacidade de amar se estende não só sobre ambos os sexos, mas sobre tudo mais, o sensorial e o espiritual, e tudo fica impregnado de encanto amoroso e da prodigiosa capacidade de transformação, que só é dado aos eleitos e aos poetas conhecer, às vezes, nos momentos extremos de suas vidas. Fingia ser um rapazinho, fumava e falava pausada e discretamente, não raro com um pouco de ironia, mas tudo estava trespassado de Eros, tudo se transformava em caminho para os meus sentidos em nobre sedução.

Embora julgasse conhecer bem e suficientemente Hermínia, ela se revelava naquela noite inteiramente nova para mim. Com quanta suavidade e sem que o notasse estendeu em torno de mim a rede tão desejada; como me deu a beber, como se estivesse brincando, o doce veneno!

Conversamos e bebemos champanha. Passeamos pela sala observando, como aventureiros descobridores, buscando os casais, cujo enlace amoroso contemplávamos. Apontou-me algumas mulheres, com as quais me pediu que dançasse, e me deu conselhos sobre a maneira com que me devia conduzir com elas. Comportávamo-nos como rivais, perseguíamos a mesma mulher, dançávamos alternadamente com ela, intentávamos ambos conquistá-la. E no entanto tudo isso não passava de fingimento, um jogo entre nós dois, que nos enlaçava intimamente, que nos acendia a ambos. Tudo era pura fantasia, tudo tinha uma dimensão a mais, uma significação mais profunda; tudo era jogo e símbolo.

Vimos uma jovem muito bonita, que parecia estar descontente e entristecida. Hermann dançou com ela, fê-la florescer, desapareceu com ela para tomar champanha, e depois me contou que havia conquistado aquela mulher não como homem, mas como mulher, com o encanto de Lesbos. Mas toda a casa retumbava cheia de salas em que estrondeava o baile; aquele rumoroso mundo de máscaras transformou-se pouco a pouco para mim num paraíso de sonho; a flor enfeitiçava a flor com seu perfume, rebuscava entre os frutos, provando-os com os dedos; as serpentes me fitavam, sedutoras, em meio às verdes sombras da folhagem; as flores de lótus se abriam sobre o negro pântano; pássaros mágicos cantavam nas ramadas, e tudo me conduzia para uma meta anelada, tudo me incitava com mais ardente desejo para a única. Uma vez dancei com uma jovem desconhecida, ardente, atraente; arrastou-me na voragem, e enquanto nos agitávamos no irreal disse-me rindo de súbito:

— Pareces outro. Antes estavas todo aborrecido e estúpido.

Então reconheci a moça que algumas horas antes me chamara de "velho urso". Julgou que me havia conquistado, mas já na dança seguinte era outra por quem meu entusiasmo ardia. Dancei duas horas ou mais todos os ritmos de dança, mesmo aqueles que não conhecia. E sempre, depois de cada volta, aparecia Hermann ao meu lado, o sorridente jovem; saudava-me com a cabeça e desaparecia entre a multidão.

Uma experiência, que me fora desconhecida ao longo de cinquenta anos, embora familiar a qualquer mocinha airada ou a qualquer estudante, revelou-se-me naquela noite de baile: a experiência da festa, o rumor da comunidade em festa, o segredo da submersão da pessoa na multidão, da *unio mystica* da alegria. Já ouvira falar nisso, qualquer criada de quarto o conhecia, e com frequência vira brilhar nos olhos de tais pessoas a luz, e sempre sorrira um pouco ironicamente de tudo isso, com um ar superior, porém com certa inveja. Aquele esplendor nos olhos embriagados de um homem liberto de si mesmo, aquele sorriso e meio louca imersão que nasce do rumor da comunidade, já o vira centenas de vezes na vida, em exemplos nobres e vulgares, em recrutas e marinheiros embriagados, bem como em grandes artistas, talvez no entusiasmo de representações solenes, e também nos jovens que marcham para a guerra, e não havia muito admirara esse resplendor e esse sorriso iluminado, com ironia e inveja, em meu amigo Pablo, quando na embriaguez da música se inclinava feliz sobre o saxofone ou olhava alheado, em êxtase, para o maestro, o baterista ou o homem do banjo. Muitas vezes cheguei a pensar que tal sorriso, que esse resplendor infantil, só era possível nas pessoas jovens ou em certos povos que não apresentam nenhuma individualização real e diferença entre os indivíduos. Mas hoje, nesta bendita noite, expandia eu mesmo, Harry, o Lobo da Estepe, aquele sorriso, agitava-me eu mesmo no doce sonho e na embriaguez da comunidade, da música, do ritmo, do vinho e dos prazeres do sexo, cuja exaltação ao descrever um baile eu ouvira na voz de qualquer estudante em outros tempos com um ar de mofa e pobre superioridade. Eu já não era eu mesmo, minha personalidade se dissolvera na embriaguez da festa como o sal na água. Dancei com uma e outra mulher, mas já não era uma só que estava em meus braços, cujos cabelos roçavam minha face, cujo perfume eu aspirava, mas todas as mulheres que se moviam na mesma sala, numa mesma dança, com idêntica música que eu e cujos rostos deslumbradores passavam diante de mim como grandes flores fantásticas; todas me pertenciam, eu pertencia a todas, todos participávamos de todos. E também pertenciam a mim todos os homens, também estava eu entre eles, não me eram estranhos, seu riso era o mesmo meu, seu anelo, o meu anelo, e o meu também era o deles.

Um novo ritmo havia conquistado o mundo naquele inverno, um foxtrote chamado *Yearning*. Esse *Yearning* era tocado a cada instante, e sempre novamente solicitado; todos estávamos encantados com ele e trauteávamos a melodia. Dancei ininterruptamente com todas as mulheres que cruzaram por meu caminho: com garotas muito jovens, com mulheres esplendorosas, com matronas maduras, com melancólicas solteironas: todas me encantavam, a todas sorria feliz, radiante. E quando Pablo me viu tão esfuziante, a mim que sempre via como um pobre-diabo lamentável, seus olhos me lançaram um olhar de ventura, levantou-se da cadeira e soprou em seu instrumento com toda a força e acentuou o compasso do *Yearning* com movimentos de todo o seu corpo, e meu par e eu lhe enviamos beijos com a mão e cantamos em coro. Ah!, pensei entretanto, haja o que houver, pelo menos fui feliz uma vez, meu olhar teve brilho, libertei-me de mim mesmo, sou irmão de Pablo, sou uma criança.

Havia perdido a noção do tempo, não sabia as horas ou os instantes que durava aquela felicidade embriagadora. Tampouco percebi que a festa, quanto mais animada se fazia, tanto mais se concentrava num espaço menor. A maioria já se retirara, nos corredores reinava a tranquilidade, muitas luzes tinham sido apagadas, a escada vazia, nas salas superiores as orquestras se emudeceram uma após outra e se retiraram; só no salão principal e no inferno continuava em alvoroço a variegada concorrência, cada vez mais ardorosa. Como não pudesse dançar com Hermínia, o rapazinho, víamo-nos e nos saudávamos somente nos intervalos entre as danças, e finalmente acabou por desaparecer, não só diante dos meus olhos, mas até mesmo de meu pensamento. Eu não tinha pensamentos. Flutuava imponderável no torvelinho da dança, comovido pelos perfumes, sons, suspiros e palavras, saudado por olhos estranhos, rodeado por estranhos rostos, lábios, braços, peitos, joelhos, levado daqui para ali ao compasso da música como uma onda.

E, de súbito, vi — num momento de lucidez, entre os últimos convidados que enchiam a sala, na última sala em que ainda havia música — um pierrô negro com o rosto empoado, uma formosa e fresca jovem, coberta apenas por uma leve meia máscara, uma figura encantadora que não havia visto em toda aquela noite. Enquanto todos os demais denotavam o avançado da hora em suas faces ruborizadas e sudorosas, nas vestes amarfanhadas, nas golas e peitilhos amarrotados, a negra *pierrette* estava nova e fresca, com a fantasia perfeita, a gola impoluta, os brancos punhos imaculados e o penteado intocável. Veio em minha direção e eu enlacei-a, levando-a a dançar; a gola perfumada provocava-me cócegas no queixo, seus cabelos roçavam-me a face, com mais delicadeza e mais intimamente que qualquer outra das mulheres com quem dancei aquela noite; o jovem vigor de seu corpo respondia a cada um de meus movimentos, cedia a eles, provocava naquele jogo novos contatos. E, de súbito, ao inclinar-me durante a dança buscando-lhe a boca, aquela boca sorriu confiante, reconheci o queixo firme, reconheci feliz os ombros, os cotovelos, as mãos. Era Hermínia, já não Hermann, vestida de novo, fresca, levemente perfumada e empoada. Nossos lábios se uniram ardorosamente; por um momento, todo o seu corpo se estreitou contra o meu, até os joelhos, cheios de desejo e entregando-se a mim; logo retirou a boca e dançou discreta e fugidia.

Quando a música cessou, permanecemos enlaçados ali onde estávamos; todos os pares que nos rodeavam batiam palmas, batiam os pés, gritavam, assobiando, pedindo à orquestra exausta que tocasse o *Yearning* de novo. E de novo todos sentimos a manhã, vimos a luz pálida através das cortinas, sentimos próximo o fim do prazer, percebemos a chegada do cansaço e nos arrojamos cegos, rindo e desesperados, à dança, à música, à golfada de luz, caminhamos furiosos no compasso, comprimidos pelos pares, e voltamos a sentir uma vez mais a venturosa onda que nos açoitava. Naquela volta, Hermínia abandonou sua superioridade, sua ironia, sua frialdade, sabia que não precisava fazer mais nada para que eu me apaixonasse. Eu lhe pertencia. E ela se entregava, na dança, no olhar, no beijo, no sorriso. Todas as mulheres daquela noite febril, todas com quem dançara, todas as que entusiasmara e me haviam entusiasmado, todas as que me apeteceram e que eu abraçara cheio de desejo, todas as que contemplara com anseios amorosos, estavam fundidas e concentradas em uma única, que florescia agora nos meus braços.

Aquela dança nupcial durou muito. Por duas, por três vezes, a orquestra se calou, os músicos deixaram cair os instrumentos, o pianista levantou-se da banqueta, o primeiro violinista balançou a cabeça em sinal de negativa, e outras tantas vezes tiveram de voltar a tocar ante a insistência dos últimos pares, voltaram a tocar com maior rapidez, selvagemente. De repente — estávamos ainda abraçados e ofegantes da última dança — a tampa do piano se fechou com um golpe seco, nossos braços caíram fatigados como os dos violinistas, e o flautista meteu seu instrumento no estojo, as portas se abriram, entrou por elas o ar frio, apareceram os criados com os abrigos, e o moço do bar apagou a luz. Fantasmais e horripilantes fugiram todos, uns dos outros, tiritando envolveram-se em seus abrigos os dançarinos, há pouco ardorosos, erguendo as golas. Hermínia estava pálida, embora sorridente. Ergueu lentamente os braços, consertando o penteado, a axila brilhou à luz, uma fina sombra infinitamente delicada corria a se ocultar no seio, e me pareceu que aquela linha de sombra resumia todo o encanto, todo o jogo e possibilidades de seu corpo formoso como um sorriso.

Estávamos ambos de pé e nos contemplávamos um ao outro, os últimos na sala, os últimos em toda a casa. Em alguma parte, no andar de baixo, ouvi abrir-se uma porta, quebrar-se um copo, um riso ir morrendo mesclado ao desagradável ruído dos automóveis que se punham em marcha. Em alguma parte, em alguma distância ou altura imprecisa, ouvi ressoar uma gargalhada, uma gargalhada clara e alegre, mas espantosa e estranha, uma gargalhada como cristal e gelo, aguda e brilhante, mas fria e inexorável. De onde conhecia aquele riso singular? Não me lembrava.

Estávamos ambos de pé e nos contemplávamos, um ao outro. Durante um momento, estive desperto e sóbrio, senti imenso cansaço, senti as roupas suadas colarem-me aos ombros úmidos e cálidos, vi minhas mãos vermelhas com as veias inchadas surgindo dos punhos enrugados e suados. Mas em seguida tudo passou: um olhar de Hermínia bastou para tudo apagar. Diante de seu olhar, que parecia penetrar-me até a alma, toda a realidade se esboroava, até mesmo a realidade de meu desejo sensual por ela. Olhávamo-nos alheados, contemplei minha própria alma.

— Estás pronto? — perguntou Hermínia, e seu sorriso se evaporou, como se evaporara a sombra no seu seio. Distante e na altura, ressoava o riso estranho no espaço desconhecido.

Assenti com a cabeça. Oh, sim! Estava pronto.

Então apareceu Pablo na porta e nos iluminou com seus olhos alegres, que eram na verdade uns olhos de fera, mas os olhos das feras sempre estão sérios, e os seus riam continuamente, e esse riso os transformava em olhos humanos. Fez-nos sinais com toda a sua amabilidade cordial. Vestia uma jaqueta de seda de várias cores, e sobre a gola aberta e em desalinho da camisa empapada o rosto fatigado e pálido estava exausto e descolorido, mas os olhos negros e brilhantes desfaziam toda essa impressão. Também eles apagavam a realidade, também eles encantavam.

Seguimos sua indicação e, à porta, me disse em voz baixa:

— Irmão Harry, convido-o para uma pequena diversão. Somente para loucos. A entrada custa a razão. Está pronto?

Assenti de novo.

O bom sujeito nos tomou delicada e cuidadosamente o braço, Hermínia à direita, eu à esquerda, e nos levou escadas acima, até um quarto circular, iluminado por uma luz azulada que vinha de cima, e quase vazio, pois havia ali apenas uma mesinha redonda com três cadeiras, em que nos sentamos.

Onde estávamos? Dormíamos? Estava em minha casa? Seguia no assento de um carro? Não, estava sentado no quarto iluminado por uma luz azul, numa atmosfera rarificada, num leito de irrealidade. Por que Hermínia estava tão pálida? Por que Pablo falava tanto? Não seria eu talvez quem o fazia falar, quem falava por sua boca? Não contemplava também através de seus olhos negros minha própria alma, o tímido pássaro perdido, igual aos olhos acinzentados de Hermínia?

Com toda sua bondosa e um tanto cerimoniosa amabilidade, o amigo Pablo nos contemplava e falava, falava sem cessar. Ele, a quem nunca ouvira falar coerentemente, a quem nunca interessavam as discussões, a quem não acreditaria capaz de pensar, falava agora incessantemente, com sua voz cálida, fluida e sem uma só falha de dicção.

— Amigos, eu os convidei para esta pequena diversão, que Harry tanto desejava, com a qual sonhou tantas vezes. Certamente, é um pouco tarde e estamos todos cansados, ao que parece. Por isso descansaremos aqui, a fim de recobrarmos as forças.

De um nicho na parede, tomou três copos e uma graciosa garrafinha, apanhou uma estranha caixa de madeira escura, encheu os copos com o licor da garrafa, tomou da caixa três finos cigarros, longos e amarelos; tirou do bolso de sua jaqueta de seda um isqueiro e acendeu nossos cigarros. Fumamos todos, atirando o corpo para trás sobre o respaldo de nossas cadeiras, fumamos lentamente o cigarro, cujo fumo era espesso como o do incenso, e bebemos um pequeno sorvo do líquido agridoce, desconhecido e estranho, cujo efeito logo nos reanimou, como se estivéssemos cheios de gás e tivéssemos perdido a gravidade.

Assim sentados, fumamos em pequenas tragadas, descansamos, libando lentamente a bebida, e nos sentimos mais leves e alegres. Então Pablo falou debilmente, com sua cálida voz:

— É para mim uma alegria, meu caro Harry, poder tê-lo um instante como hóspede. Você tem andado frequentemente desgostoso da vida e com ânsias de deixá-la, não é verdade? Tem ansiado abandonar este tempo, este mundo, esta realidade, e entrar numa outra realidade que lhe seja mais adequada, num mundo intemporal. Pois faça-o, meu amigo, eu o convido a isso. Você já sabe onde se oculta esse outro mundo, já sabe que esse outro mundo que busca é sua própria alma. Só em seu próprio interior vive aquela outra realidade por que anseia. Nada lhe posso dar, que já não exista em você mesmo, não posso abrir-lhe outro mundo de imagens além daquele que há em sua própria alma. Nada lhe posso dar, a não ser a oportunidade, o impulso, a chave. Eu o ajudarei a tornar visível seu próprio mundo, e isso é tudo.

Voltou a tirar do bolso da jaqueta um espelhinho.

— Repare, é assim que você se tem visto até agora!

Manteve o espelho suspenso diante de meus olhos (lembrei-me de uns versos infantis: "Espelhinho, espelhinho em minha mão") e vi, algo liquefeito e nebuloso, uma imagem inquietante, voltada sobre si mesma, autoatormentada, trabalhando em si mesma — eu próprio, Harry Haller. E dentro desse Harry Haller, vi o Lobo da Estepe, um lobo tímido, formoso, mas de olhar confuso e angustiado que ora faiscava com malignidade ora com tristeza, e essa figura de lobo corria incessante pelo corpo de Harry, como um afluente na correnteza do rio principal, com outra cor, turvo e agitado, lutando dolorido, devorando-se um ao outro para preservar sua forma. Triste, muito triste me contemplava o lobo fugidio e meio plasmado, com seus belos e tímidos olhos.

— Assim é que você se tem visto — repetiu Pablo docemente, e tornou a guardar o espelho no bolso.

Cerrei os olhos agradecido e sorvi um gole do elixir.

— Agora já descansamos — disse Pablo —, já recobramos nossas forças e conversamos um pouco. Se já não se sentem fatigados, quero levá-los a ver minha lanterna mágica e mostrar-lhes meu pequeno teatro. Querem vir?

Levantamo-nos. Pablo nos precedia, sorrindo; abriu a porta, afastou uma cortina e nos achamos numa galeria de teatro em forma de ferradura, exatamente no centro, e de cada lado, a passagem abobadada dava acesso a um número incrível de portas muito estreitas no palco.

— Este é o nosso teatro — declarou Pablo —, um teatro divertido, no qual espero que encontrem grandes motivos de riso.

E riu fortemente, duas gargalhadas apenas, mas estas me transpassaram violentamente, pois era o mesmo riso agudo, estranho, que antes ouvira provindo das alturas.

— Meu teatrinho tem tantas portas de palco quantas queiram, dez, cem ou mil, e atrás de cada uma espera-lhes precisamente aquilo que andam a buscar. É uma formosa lanterna mágica, meu caro amigo, mas de nada valerá recorrer a ela nas condições em que se encontra. Você se veria impedido e deslumbrado por aquilo a que se acostumou chamar de sua personalidade. Sem dúvida, já terá adivinhado há algum tempo que o domínio do tempo, a libertação da realidade e tudo aquilo que deseja chamar de seu anseio não significam outra coisa senão o desejo de libertar-se de sua chamada personalidade. Tais são as prisões em que você se encontra. E se entrasse neste teatro assim como está, assim como é, acabaria por ver tudo com os olhos de Harry, com os velhos óculos do Lobo da Estepe. Por isso convido-o a despojar-se desses anteparos e deixar no saguão sua honrada personalidade, onde estará à sua disposição a qualquer momento que assim o desejar. A maravilhosa noite de baile da qual acabam de vir, o *Tratado do Lobo da Estepe* e, por fim, os estimulantes que acabamos de tomar devem tê-lo preparado suficientemente. Você, Harry, após despojar-se de sua valiosa personalidade, terá à sua disposição a parte esquerda do teatro, enquanto Hermínia ficará com a direita; uma vez lá dentro, poderão encontrar-se se o desejarem. Por favor, Hermínia, oculte-se por trás da cortina um momento que desejo acompanhar Harry em primeiro lugar.

Hermínia desapareceu pela direita, diante de um espelho gigantesco que cobria a parede posterior desde o assoalho até o teto.

— Agora, Harry, venha comigo e conserve sempre o bom humor. Mantê-lo alegre e ensinar-lhe a rir é o objetivo de toda esta representação; espero que você me facilite a empresa. Está se sentindo inteiramente à vontade? Não tem medo? Então, ótimo. Você vai entrar agora, sem receio e com verdadeiro prazer, em nosso mundo visionário; conseguirá isso por meio de um suicídio aparente, de acordo com o hábito.

Tornou a tirar do bolso o espelhinho e colocou-o diante de meu rosto. De nôvo vi-me defronte do mesmo reflexo indistinto e nebuloso, a imagem do lobo a se superpor à de Harry, uma imagem que me era muito conhecida e, na verdade, não muito simpática, cuja destruição não me causaria qualquer desgosto.

— Você irá agora extinguir este reflexo supérfluo, meu caro amigo. Basta isso. Para consegui-lo, é suficiente que você, se seu humor o permitir, contemple esta imagem com um riso sincero. Você está numa escola de humor, tem de aprender a rir. Mas todo verdadeiro humor começa quando a pessoa deixa de levar-se a sério.

Deixei o espelhinho que Pablo tinha à mão e no qual o lobo Harry continuava a debater-se em convulsões. Por um momento, agitou-se em meu interior, suave, mas dolorosamente, uma recordação, uma lembrança, um arrependimento. Logo a leve angústia cedeu lugar a uma nova sensação, semelhante àquela que experimentamos ao extrair um dente sob a ação da anestesia, uma sensação de alívio e um respirar profundo e, paralelamente, o assombro de que não nos causara dor alguma. E a esta sensação associou-se um bom humor e um desejo de rir, ao qual não consegui resistir, deixando escapar uma gargalhada libertadora.

A difusa imagem do espelho estertorou e desvaneceu-se, a própria superfície redonda pareceu arder, tornando-se logo acinzentada, esturricada e opaca. Pablo arrojou longe o cristal, a rir, o qual foi perder-se rodando pelo chão do infinito corredor.

— Boa gargalhada, Harry — exclamou Pablo —, embora ainda tenha de aprender a rir como os imortais. Você acabou com o Lobo da Estepe, afinal. Não teria conseguido isso com a navalha. Esteja atento para que ele continue morto. Da mesma forma, você podia abandonar a farsa da estúpida realidade. Na próxima vez brindaremos como irmãos, meu caro; nunca o apreciei tanto quanto hoje. E se ainda acha que isso é importante, poderemos filosofar e discutir sobre música, sobre Mozart, Gluck, Platão e Goethe, sobre tudo que lhe agrade. Compreenderá agora por que não pudemos fazê-lo antes. É de esperar que esteja por hoje livre do Lobo da Estepe. Mas naturalmente seu suicídio não é definitivo, de maneira alguma; estamos num teatro mágico, onde tudo não passa de símbolos, onde não existe nenhuma realidade. Busque imagens belas e alegres e demonstre que já não está realmente enamorado de sua dadivosa personalidade! Mas se, apesar de tudo, você voltar a desejá-la, basta apenas que se olhe de novo no espelho que lhe vou mostrar agora. Já conhece o velho provérbio: "Mais vale um espelho na mão do que dois na parede." Ah! Ah! (e voltou a rir, daquele modo belo e aterrador). Bem, agora só nos falta uma pequena e divertida cerimônia. Já se livrou dos óculos de sua personalidade; agora venha olhar-se num espelho de verdade! Você se divertirá bastante.

Sorrindo e pronunciando frases cordiais, fez-me virar de costas, colocando-me defronte a um monumental espelho que havia por trás de nós. Olhei-me nele.

E vi, durante um brevíssimo instante, o Harry que eu conhecia, mas com uma fisionomia inusitada, de bom humor, luminosa e sorridente. Mal o reconheci, porém, desfez-se em pedaços, dele saltando uma segunda figura, uma terceira e logo dez ou vinte, e todo o espelho gigantesco estava cheio de Harrys e de fragmentos de Harrys, infinitos Harrys, cada um dos quais eu olhava e reconhecia em um momento instantâneo como um relâmpago. Alguns daqueles Harrys eram tão velhos quanto eu, outros muito mais, alguns velhíssimos, outros muito jovens, rapazes, meninos, crianças de escola, garotos, molecotes. Harrys de 50 e de 20 anos corriam e saltavam uns atrás dos outros, de 30 e de 5 anos, sérios e divertidos, dignos e cômicos, bem-vestidos e esfarrapados, e também completamente despidos, e todos eram eu mesmo, e cada qual era visto e reconhecido por mim e logo desaparecia com a velocidade do raio, corriam em todas as direções, para a direita, para a esquerda, para o fundo do espelho, e até saíam dele. Um deles, um jovem e elegante indivíduo, saltou ao pescoço de Pablo, abraçou-o e saiu correndo com ele. E outro, que me agradava singularmente, um rapaz formoso e encantador de seus 16 ou 17 anos, correu como um relâmpago pelo corredor, leu avidamente as inscrições que havia sobre cada uma das portas. Corri em seu encalço e fui encontrá-lo diante de uma porta em cujo alto havia o seguinte letreiro:

TODAS AS MULHERES SÃO TUAS!
ENTRADA: 1 MARCO

O caro jovem precipitou-se de um salto e, atirando-se de cabeça pela ranhura, desapareceu por trás da porta.

Também Pablo havia desaparecido, e aparentemente o mesmo acontecera ao espelho e com todas as infinitas imagens de Harry. Senti que estava então abandonado a mim mesmo e ao teatro, e comecei a vagar de porta em porta em cada uma das quais lia uma inscrição, um convite, uma promessa.

A inscrição

CAÇADA ALEGRE!
MONTARIA EM AUTOMÓVEIS

me atraiu, abri a estreita porta e entrei.

Vi-me atirado num mundo ruidoso e excitante. Nas ruas, os automóveis, meio desgovernados, davam caça aos pedestres, esmagando-os sobre o solo ou contra as paredes das casas.

Compreendi em seguida: era a luta entre o homem e a máquina, preparada há tanto tempo, esperada há tanto, temida há tanto tempo, que por fim havia estalado.

Por toda parte havia mortos e estropiados, por toda parte também viam-se automóveis batidos, amassados e meio incendiados, e sobre aquela confusão selvagem planavam aviões que eram atacados dos telhados e das janelas das casas por rifles e metralhadoras. Em todos os muros havia cartazes selvagens, magníficos, instigadores, pedindo à nação, em letras gigantescas que ardiam como tochas, que se colocasse, afinal, ao lado dos homens na guerra contra as máquinas, que matasse afinal os ricos, os obesos, os bem-vestidos, os perfumados, que com a ajuda das máquinas espremiam a gordura dos demais, e destruísse os automóveis luxuosos, estrepitosos, malcheirosos, que incendiasse afinal as fábricas e despovoasse e desalojasse um pouco a terra profanada, para que nela voltasse a nascer a grama, para que sobre este mundo de cimento voltasse a haver bosques, prados, urzes, arroios e pântanos. Havia outros cartazes, prodigiosamente pintados, magnificamente estilizados, de cores suaves e um pouco infantis, redigidos com extraordinária discrição e espiritualidade, advertindo a todos os proprietários e a todas as pessoas de bem que se pusessem em guarda contra o caos ameaçador da anarquia, representando de maneira comovedora a bênção que era a ordem, o trabalho, o capital, a cultura, o direito, e elogiando as máquinas como sendo a mais alta e definitiva invenção dos homens, com ajuda das quais estes se convertiam em deuses. Meditativo e admirado, eu lia os cartazes, os vermelhos e os verdes, e suas ardentes palavras influenciavam fabulosamente meu espírito, sua esmagadora lógica tinha razão, e profundamente convencido detinha-me ora diante de um, ora diante de outro, sempre perturbado ostensivamente pela abundante fuzilaria que me rodeava. O motivo era claro: era a guerra, uma guerra violenta, racial, que nada tinha a ver com o *Kaiser* ou a República, nem com fronteiras, bandeiras ou cores, nem com outras coisas igualmente decorativas e teatrais, bagatelas, afinal de contas; mas na qual cada pessoa, achando demasiadamente estreito seu espaço vital e sentindo que a vida não lhe reservava nada de agradável, dava contundente vazão ao seu desgosto e tudo fazia para preparar o caminho à destruição comum daquela civilização de aço. Eu via sorrir claramente em todos os olhos o prazer da destruição e da morte, e em mim mesmo floresciam rosas rubras e silvestres, que me sorriam frescas e garbosas. Alegremente me lancei à luta.

Mas o curioso foi que, de súbito, apareceu ao meu lado um colega dos tempos de escola chamado Gustav, a quem fazia muitos anos eu não via, e que naquele tempo era o mais másculo, mais forte, mais sedento de vida de meus amigos de infância. Senti o coração alegrar-me quando o vi fazer-me um sinal com seus olhos azuis. Ante o sinal, dirigi-me imediatamente para onde ele estava.

— Mas, ora viva, Gustav! — exclamei feliz. — Bons olhos o vejam! Que é feito de você?

Sorriu contrariado, exatamente como quando era menino.

— Vamos acabar com estas perguntas idiotas! Sou professor de teologia, se é o que desejas saber! Mas por sorte agora não se trata de teologia e sim de guerra, meu filho. Vem comigo!

Gustav abateu com um tiro o chofer de um pequeno caminhão que vinha resfolegando em nosso rumo, saltou como um macaco à boleia, parou o veículo e me deixou subir a seu lado, após o que passamos a correr como demônios por entre os disparos de carabina e os carros capotados, até deixarmos para trás a cidade e os subúrbios.

— Você está do lado dos fabricantes? — perguntei a meu amigo.

— Isso é uma questão de preferência que depois veremos. Mas não, espera, sou de opinião que devemos escolher o outro lado, embora no fundo seja tudo a mesma coisa. Sou teólogo, e meu antecessor Lutero ajudou em sua época aos príncipes e aos poderosos contra os camponeses, e desejo corrigir isso um pouco. Este carro miserável, não sei se aguentará mais alguns quilômetros!

Célere como o vento, o filho celestial, saímos a matraquear até uma campina verde e tranquila, caminhamos muitos quilômetros por uma grande planície e depois começamos a subir por uma abrupta montanha. Então, paramos numa estrada faiscante, que passava entre grandes penedos, serpenteando em curvas arrojadas, protegidas por um frágil peitoril; embaixo, a distância, brilhava a superfície de um lago.

— Bonita paisagem! — disse.

— Muito bonita. Podemos chamá-la de a estrada da encruzilhada, dos eixos, pois muitos deles vêm quebrar-se aqui, meu caro Harry. Por isso, atenção!

À margem do caminho havia um enorme pinheiro, e entre suas ramagens algo assim como uma choça sobre uma plataforma, uma espécie de posto de observação. Gustav sorriu luminosamente para mim, descemos pressurosos de nosso veículo e subimos pelo tronco até chegar à choça, a respiração ofegante, e nos escondemos naquele posto que muito nos agradou. Lá encontramos rifles, revólveres e caixas de munição. Mal chegamos a acomodar-nos da escalada quando ouvimos ressoar na curva da estrada a buzina imperiosa de um carro luxuoso que avançou zumbindo a grande velocidade pela estrada lisa. Já tínhamos os rifles preparados à mão. A excitação era intensa.

— Atira no chofer! — ordenou Gustav, no momento em que o carro se aproximava da árvore.

Apontei para o boné azul do motorista e disparei. O homem caiu sobre o volante, o carro perdeu a direção, chocou-se contra a muralha, deu uma guinada, voltou-se furioso como um besouro contra o parapeito da estrada, mergulhou e espatifou-se lá embaixo no abismo com um ruído surdo.

— Acertaste! — riu Gustav. — O próximo será meu.

Já outro carro vinha chegando; os três ou quatro passageiros estavam recostados sobre os assentos. Da cabeça de uma mulher, uma ponta de lenço esvoaçava horizontal no ar; o véu era azul-claro. Senti verdadeiro remorso. Quem sabe se não estaria sorrindo embaixo daquele véu um formoso rosto de mulher? Santo Deus, se estávamos brincando de bandidos, o certo seria, seguindo o exemplo dos bandidos generosos, não saciarmos nas belas mulheres nosso bravo desejo de matar. Mas Gustav já havia disparado. O chofer contraiu-se e tombou de lado; o carro precipitou-se sobre as rochas da direita, voltou a cair sobre o leito da estrada com as rodas voltadas para cima. Esperamos um instante, nada se moveu; os homens, como se tivessem caído num laço, jaziam silenciosos sob o carro. Este continuava rugindo e as rodas giravam burlescamente no ar, mas logo se ouviu uma horrível explosão e o auto foi engolfado pelas chamas.

— É um Ford — disse Gustav. — Temos de descer para deixar a estrada livre.

Descemos e ficamos a contemplar a fogueira. Pouco demorou a apagar-se; nesse meio-tempo, arranjamos troncos de árvores verdes e os usamos à maneira de alavancas para desvirar o carro e atirá-lo ao abismo. Dois dos cadáveres caíram de dentro em uma das viradas e jaziam estendidos na estrada com as roupas um pouco chamuscadas. Um deles conservava o paletó em muito bom estado: revistei-lhe os bolsos para ver se encontrava algum indício de quem era a pessoa. Na carteira de couro encontrei alguns cartões de visita. Apanhei um e nele li estas palavras: *Tat twam asi.*

— Muito engraçado — disse Gustav. — Mas, na realidade, é indiferente saber quem sejam nossas vítimas. São pobres-diabos como nós mesmos e o nome pouco importa. Este mundo deve perecer, e nós com ele. A solução menos dolorosa seria mantê-lo dez minutos debaixo d'água. Mãos à obra!

Atiramos os cadáveres atrás do carro. Já outro veículo vinha buzinando. Contra este, disparamos mesmo do solo. Continuou a rodar mais um pouco, em seguida deu meia-volta e permaneceu resfolegante em meio à estrada; um dos passageiros mantinha-se sentado em seu interior. Era uma bela jovem, que saiu do carro, pois não estava ferida, embora estivesse muito pálida e bastante trêmula. Cumprimentamo-la amavelmente e pusemo-nos à sua disposição. Estava, todavia, demasiado assustada, tanto assim que não conseguia falar e olhou-nos por um momento como enlouquecida.

— Bem, vamos ver o que aconteceu com o velho — disse Gustav.

E voltou-se para o viajante, que continuava sentado no carro, atrás do chofer morto. Era um senhor de cabelos grisalhos e curtos; tinha os olhos abertos, um olhar inteligente, mas parecia estar gravemente ferido, pois deitava sangue pela boca e mantinha o pescoço sinistramente inclinado e rígido.

— Permita-me apresentar-me, meu caro senhor. Chamo-me Gustav. Tomamos a liberdade de matar seu chofer. Posso ter a honra de saber com quem estou falando?

O velho olhou-nos triste e friamente com seus olhos cinza.

— Sou o promotor-geral Loering — disse lentamente. — Vocês não mataram apenas meu chofer, mas a mim também. Sinto que estou para morrer. Por que dispararam contra nós?

— Por excesso de velocidade.

— Mas estávamos viajando a uma velocidade normal!

— O que ontem era normal hoje já não é, senhor promotor. Achamos hoje excessiva qualquer que seja a velocidade de um automóvel. Estamos destruindo todos os automóveis e também todas as máquinas.

— E esses rifles?

— A vez deles chegará, se tivermos tempo para tanto. É possível que amanhã ou depois já estejamos todos destruídos. Como o senhor sabe, nossa parte do mundo estava horrivelmente superpovoada. Pois estamos arejando um pouco a paisagem.

— Estão disparando contra todos, sem distinção?

— Isso mesmo. Em alguns casos, a situação é realmente lamentável. Por exemplo, eu teria sentido muito se tivesse causado dano a esta maravilhosa dama. É sua filha?

— Não; minha estenógrafa.

— Tanto melhor. E agora, por favor, desça do carro ou permita que o retiremos daí, pois temos de destruir o carro.

— Prefiro ser destruído com ele.

— Como queira. Mas antes permita-me uma pergunta. O senhor é promotor. É incompreensível para mim que um homem possa ser promotor. O senhor vive de acusar e pedir condenação para os outros, na maioria das vezes para uns pobres-diabos. Não é?

— É verdade. Cumpro meu dever. É minha profissão. Bem como o carrasco, cuja profissão é matar aqueles que eu acuso. O senhor também escolheu este mesmo ofício. O senhor também mata.

— Exato. Mas nós não matamos por obrigação, matamos por prazer, ou melhor, por desespero, por estarmos descontentes com este mundo. Por isso sentimos certa satisfação em matar. O senhor nunca sentiu satisfação?

— Vocês me enojam. Queiram acabar logo com esse intento. Se lhes é totalmente desconhecida a noção do dever...

Calou-se e contraiu os lábios, como se quisesse cuspir. Mas só deixou escapar um coágulo de sangue, que lhe ficou aderido ao cavanhaque.

— Espere aí! — disse Gustav cortesmente. — A noção de dever me é inteiramente desconhecida. Antes, em decorrência de minha profissão, tinha muito a ver com ela; era professor de teologia. Além disso, fui soldado e tomei parte na guerra. O que me parecia o dever e o que as autoridades e as leis me haviam ordenado não era realmente bom, e de boa vontade teria feito exatamente o contrário. Mas embora admita que o conceito do dever não mais me atinja, conheço contudo o conceito da culpa; talvez sejam a mesma coisa. Desde o instante em que nasci, já era culpado, condenado a viver, obrigado a pertencer a um Estado, a ser soldado, a matar, a pagar impostos para comprarem armas. E agora, neste exato momento, o delito de ter nascido me força a matar, como na guerra. E desta vez não mato com repugnância; estou resignado à minha culpa, nada tenho a opor que este mundo imbecil e obtuso se faça em pedaços, e colaboro com gosto na tarefa, e prazerosamente sucumbirei com ele.

O promotor esforçou-se muito por sorrir um pouco com seus lábios unidos pelo sangue coagulado. Não conseguiu de forma alguma, mas deixou transparecer sua boa intenção.

— Está bem. Então somos colegas. Cumpra com seu dever caro colega!

A bela jovem, entretanto, havia-se afastado até a margem da estrada e chegando ali tombou, num desmaio.

Neste instante, ouviu-se a buzina de outro carro, que chegava em desabalada carreira. Deixamos a jovem de lado, ocultamo-nos por trás das rochas e deixamos que o carro se aproximasse dos destroços do outro. Freou violentamente e o carro chegou a erguer--se nas rodas de trás, mas sem sofrer qualquer dano. Empunhamos rapidamente os fuzis e apontamos para os recém-chegados.

— Saiam! — gritou Gustav. — Mãos ao alto!

Eram três homens que desceram do carro e ergueram, obedientes, as mãos.

— Alguém aí é médico? — perguntou Gustav.

Os três abanaram a cabeça.

— Então queiram tirar este senhor que está ferido do interior deste carro. E levem-no em sua companhia, no carro de vocês, até a cidade mais próxima. Mãos à obra!

Pouco depois o velho promotor estava no outro carro. Gustav deu ordem e partiram.

Nesse ínterim, a estenógrafa havia recobrado os sentidos e presenciava os acontecimentos. Eu estava contente com a bela presa que havíamos feito.

— Senhorita — disse Gustav —, acaba de perder seu patrão. É bem possível que já não andassem em muito boa harmonia. Agora está contratada por mim, sejamos bons camaradas! Venha, temos pressa. Dentro em pouco estaremos mal colocados aqui. Sabe subir em árvores? Não? Então nós dois a carregaremos.

Subimos os três, com a rapidez que pudemos, até a cabana da copa. A moça sentiu-se mal lá em cima, mas demos-lhe conhaque e não demorou a melhorar, tanto que logo conseguiu contemplar a formosa paisagem que ofereciam o lago e a montanha e nos disse que se chamava Dora.

A essa altura, surgiu embaixo um outro carro, que com hábil manobra evitou chocar-se com o que estava capotado em meio à estrada, e, sem deter-se, acelerou a marcha e seguiu em frente.

— Presunçoso! — sorriu Gustav, e disparou contra o chofer.

O carro dançou um pouco, jogou-se contra o muro, subiu as rodas da frente e ficou dependurado sobre o abismo.

— Dora — disse eu —, sabe manejar um rifle?

Não sabia, mas ensinamo-la a carregar a arma. A princípio mostrou-se desajeitada e chegou mesmo a sangrar um dedo, lamuriou-se e pediu esparadrapo. Mas Gustav explicou-lhe que estávamos em guerra e que era necessário demonstrar ser uma jovem valente e corajosa.

— Por quê? Que vai acontecer conosco? — perguntou então.

— Não sei — disse Gustav. — Meu amigo Harry gosta de moças bonitas. Poderá cuidar de você.

— Mas podem vir com policiais e soldados e matar-nos.

— Já não existe polícia nem nada que se assemelhe a isso. Podemos fazer das duas uma: ou ficar aqui tranquilamente e disparar contra todos os carros que passem pela estrada ou tomar um desses carros e deitar a correr por aí para que os outros nos metralhem. Tanto faz tomar um partido quanto outro. Acho preferível ficarmos aqui.

Lá embaixo surgiu um outro automóvel, cuja buzina soava estridentemente. De pronto liquidamos com ele e lá ficou com as rodas viradas para cima.

— É curioso — disse eu — que um disparo possa causar tamanha diversão. Eu antes era inimigo da guerra!

Gustav sorriu.

— Sim, há homens em demasia na Terra. Antes a gente não se dava conta disso. Mas agora, quando as pessoas já não se contentam em respirar e querem também ter um automóvel, a coisa se nota mais. Naturalmente, o que estamos fazendo não é racional; trata-se de uma infantilidade, como também a guerra é uma infantilidade em escala monumental. A humanidade aprenderá mais tarde a regular a população por meios racionais. Enquanto isso, é necessário reagirmos contra essa situação insuportável de maneira bastante irracional; mas, no fundo, fazemos o que é necessário: reduzimos.

— Sim — disse eu —, isso fazemos; possivelmente há de ser uma loucura, mas talvez seja também bom e necessário. As coisas não vão bem quando a humanidade fatiga excessivamente sua inteligência e procura ordenar com auxílio da razão as coisas inacessíveis à razão. Então surgem ideais, tais como os dos americanos ou dos bolchevistas; ambos são extraordinariamente racionais, mas desejando ingenuamente simplificar a vida acabam por violentá-la de maneira terrível. A igualdade do homem, um ato ideal das épocas pretéritas, está a ponto de se tornar um clichê. Talvez nós, os loucos, consigamos enobrecê-lo um pouco.

Gustav respondeu sorrindo:

— Falas como um sábio, meu filho. É um prazer e um privilégio beber em tua fonte de sabedoria. É possível até mesmo que tenhas um pouco de razão. Mas, por favor, volta a carregar teu rifle; estás ficando muito sonhador; a qualquer momento pode surgir um casal de cervos e não podemos matá-los com filosofia. É preciso ter bala no cano.

Apareceu outro carro, que foi logo abatido; a estrada ficou obstruída. Um sobrevivente, um homem gordo de cabelos ruivos, gesticulava furioso junto aos destroços, olhava para cima e para baixo, até que descobriu nosso esconderijo, e correu em nossa direção, aos berros, disparando várias vezes contra nós com tiros de revólver.

— Vá embora senão atiro — gritou Gustav.

O homem mirou em sua direção e disparou de novo. Então nós dois disparamos para baixo.

Enquanto isso, chegaram mais dois carros, que estendemos por terra. Depois a estrada ficou tranquila e deserta; a notícia de que era perigosa decerto já havia corrido. Isso nos deu tempo para apreciarmos a beleza da paisagem. Do outro lado do lago havia uma pequena cidade ao fundo; saía fumaça dos telhados e logo vimos o fogo alastrar-se de casa em casa. Ouviam-se também disparos. Dora começou a chorar e eu lhe acariciei as faces úmidas.

— Teremos de morrer todos? — perguntou.

Ninguém respondeu. Nesse ínterim, chegou embaixo da árvore um caminhante, viu os carros capotados, começou a bisbilhotar em redor, meteu a cabeça e metade do corpo para dentro de um deles e de lá tirou uma sombrinha colorida, uma bolsa de senhora e uma garrafa de vinho; depois sentou-se tranquilamente no peitoril da estrada, tomou um gole da garrafa e comeu algo que estava envolto em papel estanhado e que encontrara no interior da bolsa; terminou de beber a garrafa e seguiu, satisfeito, seu caminho, com a sombrinha embaixo do braço. Quando se afastava, disse a Gustav:

— Você seria capaz de atirar contra aquele homem e fazer-lhe um buraco na nuca? Por Deus que eu não conseguiria.

— Isso porque não te ordenaram — grunhiu meu amigo.

Mas ele também não se sentia à vontade. Bastou vermos um homem que se comportava inocentemente, pacífico e infantil, que continuava a viver ainda em estado de inocência, para que toda a nossa atividade, tão elogiosa e necessária, nos começasse a parecer estúpida e repelente. Com os diabos, quanto sangue! Envergonhamo-nos de nós mesmos. Mas na guerra deve ter havido generais que sentiram o mesmo.

— Não podemos permanecer aqui por mais tempo — soluçou Dora. — Temos de descer. Com certeza, encontraremos nos carros algo para comer. Vocês não estão com fome, seus bolchevistas?

Lá ao longe, na cidade em chamas, os sinos começaram a tocar angustiosamente. Iniciamos a descida. Enquanto ajudava Dora a galgar o parapeito, beijei-lhe os joelhos. Ela riu sonoramente, mas aí as pranchas cederam e tombamos juntos no vazio...

De novo encontrei-me no corredor circular, excitado ainda pela caçada aventurosa. E por toda parte, nas inumeráveis portas, os letreiros me atraíam:

mutabor
transformação em plantas e animais
de sua predileção

kama-sutra
lições de arte erótica dos hindus
curso para principiantes: 42 diferentes
métodos de praticar o amor

delicioso suicídio!
você se arrebenta de rir!

deseja espiritualizar-se?
a sabedoria do oriente
o ocaso do ocidente
preços reduzidos. nunca superados

quintessência da arte
transformação do tempo em espaço
por meio da música

as lágrimas ridentes
gabinete de humor

a solidão ao alcance de todos
valioso substituto para todas as formas
de sociabilidade

A série de inscrições parecia interminável. Uma delas dizia:

guia para a formação da
personalidade. êxito garantido

Aquela me pareceu digna de atenção e entrei porta adentro. Encontrei-me num quarto imerso na penumbra e no silêncio; um homem lá estava sentado no chão à maneira dos povos orientais e tinha diante de si algo como um tabuleiro de xadrez. A princípio me pareceu tratar-se de meu amigo Pablo, pois usava um colete de seda de cores variegadas e seus olhos eram escuros e brilhantes como os do músico.

— O senhor não é o Pablo? — perguntei.

— Não sou ninguém — declarou o homem amistosamente.
— Aqui ninguém tem nome, aqui ninguém é ninguém. Sou um jogador de xadrez. O senhor deseja que lhe dê lições sobre a formação da personalidade?

— Sim, por favor.

— Então queira ter a bondade de colocar algumas dezenas de peças à minha disposição.

— De peças?...

— Daquelas peças a que o senhor viu reduzir-se sua famosa personalidade. Não posso jogar sem elas.

Ergueu um espelho diante de mim e nele voltei a ver a unidade de meu ser decomposta em muitos eus, cujo número parecia ter aumentado ainda mais. Só que as figuras eram agora muito pequenas, semelhantes a peças de xadrez, e o jogador tomou com toda a calma e precisão com a ponta dos dedos uma dúzia delas e colocou-as no solo junto ao tabuleiro. O homem começou a falar monotonamente, como quem se refere a uma conversação mantida com outra pessoa ou como quem repete uma lição.

— O falso e infeliz conceito de que o homem seja uma unidade duradoura já é conhecido pelo senhor. Também já sabe que o homem é formado por um número incalculável de almas, por uma multidão de egos. Dividir a unidade aparente do indivíduo nessas numerosas figuras é algo que passa por loucura; a ciência encontrou para esse fenômeno a designação de esquizofrenia. A ciência está certa, até certo ponto, quando afirma que nenhuma pluralidade pode conduzir-se sem uma direção, sem uma certa ordem e agrupamento. Mas, por outro lado, não tem razão ao imaginar ser possível somente uma ordenação única, encadeadora, perpétua, para a multiplicidade dos egos subordinados. Esse erro da ciência acarreta consequências desagradáveis; sua única vantagem reside na simplificação do trabalho dos mestres e dos educadores a serviço do Estado, poupando-lhes os trabalhos do pensamento e da experimentação. Em consequência desse erro, muitos homens que passam por "normais", e até por valiosos membros da sociedade, são loucos incuráveis, e, por outro lado, muitos que passam por loucos são verdadeiros gênios. Por isso é que completamos aqui a imperfeita psicologia da ciência com o conceito a que denominamos a edificação da alma.

Aqui demonstramos aos que experimentaram a destruição de seu próprio eu que podem a qualquer instante reordenar os fragmentos e com isso conseguir uma variedade infinita no jogo da vida. Assim como o dramaturgo cria um drama a partir de um punhado de personagens, assim construímos, com as peças de nosso eu despedaçado, novos grupos com novos jogos e atrações, com situações eternamente novas. Veja só!

Com seus dedos serenos e prudentes apanhou minhas peças, todos os velhos, jovens, crianças, mulheres; todas as figuras, as alegres e as tristes, as fortes e as delicadas, as ágeis e as lerdas, ordenou-as rapidamente em seu tabuleiro para o jogo, no qual logo começaram a formar grupos, família, prontas a jogar e a lutar, criando amizades e inimizades, edificando todo um mundo em miniatura. Deixou desfilar diante dos meus olhos aquele mundo liliputiano, um mundo cheio de animação mas bastante ordenado, deixou que se movesse, jogasse, lutasse, fizesse pactos, batalhasse, trocasse votos, unindo-se, multiplicando-se; era, de fato, um drama repleto de personagens, vívido e interessante.

Logo o homem desfez o jogo com um gesto alegre, derrubando todas as peças, juntando-as num monte e voltando a armar um novo jogo com o mesmo cuidado anterior, como um artista meticuloso, com as mesmas figuras, mas em grupos diferentes, com outras interdependências e entrelaçamentos. Este segundo jogo guardava relação com o primeiro: era o mesmo mundo, formado pelos mesmos materiais, mas nele havia mudado o tom, o tempo, o motivo e a situação.

E assim foi o sábio arquiteto construindo com as figuras, que eram fragmentos de mim mesmo, vários jogos, uns após outros, todos semelhantes, todos participantes de um mesmo mundo, todos submetidos a um mesmo destino, mas sempre inteiramente novos.

— Eis a arte da vida — disse doutoralmente. — O senhor mesmo pode formar e viver no futuro um jogo de sua própria vida à sua vontade, desenvolvendo-o e enriquecendo-o; está em suas mãos fazê-lo. Assim como a loucura, em seu mais alto sentido, é o princípio de toda sabedoria, assim a esquizofrenia é o princípio de toda arte, de toda fantasia. Mesmo os homens instruídos chegaram ao reconhecimento parcial desta verdade, como se pode ler no *Príncipe Wunderborn,* naquele livro encantado no qual o trabalho fatigante e atento de um sábio se vê imortalizado com a colaboração genial de um número de artistas loucos e recolhidos como tais. O senhor agora pode guardar suas figurinhas, pois o jogo lhe proporcionará muitas alegrias. A figura que hoje passou por um espantalho medonho e acabou por fazê-lo perder o jogo poderá converter-se amanhã numa pobre figura secundária. E a pobre figurinha, que parecia ainda há pouco viver sob a influência de uma estrela má, poderá converter-se no próximo jogo em uma princesa. Desejo-lhe muitas satisfações, meu caro senhor.

Inclinei-me profundamente agradecido diante daquele hábil jogador de xadrez, guardei as peças no bolso e saí pela estreita porta.

Havia pensado em sentar-me no chão e jogar durante horas inteiras, durante toda a eternidade, com as figurinhas, mas tão logo me vi no corredor circular do teatro surgiram-me de novo outros incentivos, mais fortes do que eu. Um letreiro flamejava diante dos meus olhos:

SENSACIONAL DOMA DO LOBO DA ESTEPE

Vários foram os sentimentos que tal letreiro suscitou em mim; as angústias e opressões de minha vida pregressa e da realidade que eu deixara à margem oprimiam pesadamente meu coração.

Com a mão trêmula, abri a porta e me encontrei numa barraca de feira, onde havia uma barra de ferro que me separava do cenário. Mas em cena vi um domador, um senhor que gritava como se estivesse num mercado com ares pomposos, e apesar dos enormes bigodes, da musculatura exagerada dos bíceps e da bizarra vestimenta circense, tinha maliciosa e repelente semelhança comigo. O homenzarrão conduzia — lastimável espetáculo! — um lobo enorme, belo, mas terrivelmente macilento e com um olhar tímido de escravo, atado por um cordel, como um cão. Era, ao mesmo tempo, repulsiva e interessante, horrível e intimamente agradável a visão daquele brutal domador fazendo com que o nobre e vergonhosamente dócil animal realizasse toda sorte de truques e sensacionais cambalhotas.

O homem, meu sósia diabolicamente distorcido, conseguira domar o lobo de maneira extraordinária. A besta obedecia atentamente a todas as suas ordens, reagia caninamente à chamada e ao estalido do látego, punha-se de joelhos, fingia-se de morto, imitava uma menina carregando na boca um pãozinho, um ovo, um pedaço de carne, uma cesta, tudo com muito cuidado e obediência; e chegava mesmo a apanhar do chão com os dentes o látego que o domador deixava cair, e o levava na boca até ele, abanando a cauda, de uma maneira insuportavelmente submissa. Puseram diante do lobo um coelho e, depois, um cordeiro branco. É verdade que o lobo arreganhou os dentes e deixou cair uma saliva de convulso desejo, mas nem sequer tocou nos animais, tendo apenas saltado sobre eles com elegantes movimentos, ao lhe ser assim ordenado, estendendo-se entre o coelho e o cordeiro assustados, abraçando-os com as patas dianteiras e formando com eles um grupo comovedoramente familiar. Em seguida, comeu um tablete de chocolate das mãos do domador. Era um tormento contemplar até que grau aprendera a renegar sua natureza aquele pobre lobo, e senti me arrepiarem os cabelos.

Houve alguma compensação, entretanto, não só para o espectador horrorizado quanto para o próprio lobo, quando chegou a segunda parte do programa. Após aquela refinada exibição de domesticidade animal e logo que o homem acabou de inclinar-se numa reverência triunfante sobre o grupo do lobo e do cordeiro, os papéis de súbito inverteram-se. Meu sósia domador pôs imediatamente o látego aos pés do lobo com muita reverência e começou a tremer, a mover-se e a olhar timidamente, como fizera antes o animal. Mas o lobo lambia o focinho sorridente, seu constrangimento desapareceu, seus olhos fuzilaram e todo o seu corpo se retesou e floresceu ao recobrar sua natureza selvagem.

Agora o lobo mandava, e o homem obedecia. A uma palavra de comando, caiu de joelhos, imitou o lobo, deixou pender a língua e rasgou as vestes do corpo a ranger os dentes. Andou sobre duas e quatro patas, obedecendo às ordens do domador de homens; imitou as mocinhas, fingiu-se de morto, deixou que o lobo o cavalgasse, levou o látego nos dentes à mão do domador. Com a destreza de um cão, submeteu-se a toda sorte de humilhações e perversidades. Uma bela jovem aproximou-se do palco, foi até junto ao homem domesticado, acariciou-lhe a barbela e roçou seu rosto contra o dele, mas o homem continuou posto em quatro patas, em seu papel de animal. Sacudiu a cabeça e começou a mostrar os dentes à jovem, de maneira tão ameaçadora e lupina que a moça acabou por fugir. Deram-lhe chocolate, mas ele o cheirou e o deixou de lado. E por último lhe trouxeram o cordeiro branco e o gordo coelho malhado, e o homem amestrado executou de maneira prodigiosa sua última imitação do lobo. Agarrou com unhas e dentes os apavorados animais, arrancando-lhes pedaços de pele e carne, abocanhou uivando as carnes vivas e bebeu-lhes o sangue quente, com os olhos embriagados de prazer.

Saí horrorizado pela porta. Aquele teatro mágico, estava percebendo, não era nenhum paraíso. Todo o inferno estava reunido sob sua bela superfície. Oh, Deus, também aqui não havia redenção?

Corri aturdido de um lado para outro, sentindo um sabor a chocolate e a carne, igualmente horríveis; desejei ansiosamente fugir daquela onda de torpor, lutei fervorosamente para criar dentro de mim imagens mais amistosas e suportáveis. "Oh, amigos, não neste tom!", dizia algo dentro de mim, e recordei com horror aquelas espantosas fotografias do *front*, que durante a guerra tive algumas vezes diante dos olhos, daqueles montões de cadáveres, cujos rostos pareciam disfarçados de demônio pelas máscaras contra gases. Como pude então ser tão tolo e infantil, embora fosse um inimigo da guerra e amante da humanidade, para horrorizar-me com aquelas gravuras! Hoje sabia que nenhum domador, nenhum ministro, nenhum general era capaz de elucubrar em seu cérebro um pensamento ou uma imagem que eu não pudesse igualar em toda a sua crueza e estupidez, em sua selvageria e malignidade.

Dando um profundo suspiro, recordei o cartaz que antes, ao começar o teatro, tanto havia atraído aquele formoso rapaz, o letreiro que dizia:

TODAS AS MULHERES SÃO TUAS

e me pareceu ser aquilo o mais desejável de tudo. Alegre por poder escapar ao maldito mundo do lobo, entrei naquele quarto.

Prodigiosamente — tanto que estremeci pelo fabuloso e ao mesmo tempo pelo familiar daquele prodígio — vi-me envolto ali pelo aroma da juventude, pela atmosfera dos meus tempos de moço, e em meu coração começou a circular o sangue daquele tempo. Tudo o que havia pensado e acontecera nestes últimos tempos ficara para trás, e voltei a ser jovem. Uma hora, poucos minutos antes, havia imaginado saber bem o que eram o amor e a felicidade, mas tais sentimentos eram o amor e a felicidade de um homem velho. Agora era jovem novamente, e o que sentia em mim, um fluente fogo abrasador, aquele poderoso impulso, aquela paixão desvairada como um vento de março, era jovem, novo e verdadeiro. Oh, como voltaram a arder os fogos esquecidos, como soavam os tons baixos e ressoantes do passado, como florescia tremulante este passado no sangue, como gritava e cantava em minha alma! Era um rapaz de 15 ou 16 anos, com a cabeça cheia de latim e grego e formosas poesias, meu pensamento cheio de aspirações e de ambições, minha fantasia cheia de sonhos de artista, porém mais fundo, mais forte e mais terrível que todos esses fogos chamejantes, ardia e palpitava em mim o fogo do amor, a fome do sexo, o pressentimento consumidor do prazer.

Achava-me sentado em uma das colinas rochosas que se erguem sobre minha cidade natal, respirava o vento cálido e o perfume das primeiras violetas; lá na cidade o rio faiscava e bem assim a janela de minha casa paterna, e tudo isso surgia, soava e perfumava tão rumorosamente perfeito, tão novo e ébrio de criação, resplandecia tão profundamente colorido e perfumava no vento da primavera tão irrealmente e tão transfigurado quanto o havia visto nas horas mais plenas, mais poéticas de minha primeira juventude. Estava na colina, o vento me fustigava os longos cabelos; com mão trêmula, perdida em sonhados anelos amorosos, arranquei de um ramo apenas enverdecido um broto de flor, segurei-o diante dos olhos, cheirei-o (e com este aroma voltou a surgir-me na lembrança todo aquele passado); logo colhi aquele raminho verde entre os lábios que ainda não haviam beijado mulher alguma e comecei a mordiscá-lo. E com esse sabor amargo, aromático e rude soube imediatamente o que sentia, que tudo estava de novo ali. Estava revivendo certa ocasião dos meus últimos anos de adolescente, uma tarde de domingo num princípio de primavera, um dia em que em meu passeio solitário encontrei Rosa Kreisler e a cumprimentei com tanta timidez, e de quem fiquei embriagadoramente enamorado.

Sem que fosse visto por ela, eu observava, cheio de tímidas esperanças, a jovem que subia a colina, sozinha e sonhadora; olhava seus cabelos presos em duas grandes tranças, com anéis soltos de ambos os lados da face, com os quais o vento brincava. Vira, pela primeira vez em minha vida, toda a formosura que aquela moça representava, toda a beleza e encanto que era aquele jogo do vento em seu delicado cabelo, quão graciosa e excitante era a harmonia de seu fino vestido azul sobre seus membros juvenis; e assim como pelo amargo sabor do talo mordido chegara até mim o prazer tímido e doce e a angústia da primavera, assim me povoaram, ao ver a jovem, todas as ânsias mortais do amor, do desejo sensual, do comovedor pressentimento de imensas possibilidades e promessas, de delícias sem par, de impensadas turbações, angústias e dores, da mais íntima redenção e da mais profunda culpa. Oh, como ardia o amargo sabor da primavera em minha língua! Oh, como corria o vento brincalhão através dos cabelos soltos em sua face! Então chegou a meu lado, viu-me e reconheceu-me, enrubesceu ligeiramente um instante e voltou os olhos para o outro lado; então cumprimentei-a tirando o boné de colegial, e Rosa, que logo recuperara a naturalidade, correspondeu sorrindo ao meu cumprimento, de maneira bastante adulta, com o rosto erguido, e seguiu adiante, lentamente, segura e altiva, envolta em mil desejos amorosos, esperanças e adorações que eu fiz seguir em seu encalço.

Assim sucedeu um domingo, há 35 anos, e todo aquele passado retornava a mim num instante: colina e cidade, vento de março e perfume de brotos, Rosa e seu cabelo castanho, crescente anelo e doce angústia sufocante — tudo era como então, e me parecia que nunca havia amado na vida como antes amei Rosa. Mas desta vez me foi dado tê-la de maneira diferente. Vi que ela me reconheceu enrubescida e percebi de imediato que gostava de mim, que aquele encontro tinha tanta importância para ela quanto para mim. Em vez de voltar a tirar o boné e permanecer com a cabeça descoberta solenemente, até que ela tivesse passado, fiz, apesar de minha angústia que beirava a obsessão, aquilo que meu sangue me ordenava que fizesse, e gritei:

— Rosa, graças a Deus que vieste, ó jovem maravilhosa! Eu te amo tanto!

Isto não era talvez o que de mais espiritual eu lhe pudesse dizer naquele momento, mas não se tratava ali de espírito, aquilo era suficiente. Rosa não assumiu ares de adulta, nem passou ao largo. Deteve-se, fitou-me, enrubesceu ainda mais do que antes e disse:

— Bom dia, Harry. É verdade que gosta de mim?

Então seus olhos castanhos brilharam no rosto vigoroso e senti que toda a minha vida passada e todos os meus amores tinham sido falsos e confusos, cheios de estúpidas desventuras, a partir do momento em que deixei Rosa ir-se embora naquele domingo. Mas agora a falta ia ser reparada, e tudo seria diferente, tudo seria bom.

Demos as mãos e de mãos dadas caminhamos lentamente, indizivelmente felizes, um tanto embaraçados, sem saber o que dizer nem o que fazer, fazendo-nos o embaraço caminhar mais depressa, até que rompemos numa carreira que nos fez perder o fôlego e depois parar, sem que largássemos as mãos. Estávamos ambos ainda no limiar da juventude e não sabíamos bem o que fazer um com o outro, não chegamos a beijar-nos nem uma só vez naquele domingo, mas éramos inteiramente felizes. Paramos e respiramos profundamente, sentamo-nos na relva, acariciei-lhe a mão e ela passou a outra sobre os meus cabelos, e logo nos erguemos e começamos a ver quem era mais alto do que o outro, e embora eu fosse mais alto que ela apenas um dedo, não o admiti, e afirmei que tínhamos a mesma altura e que Deus nos havia feito um para o outro e que, mais tarde, nos casaríamos. Então Rosa disse que sentia o perfume das violetas e nos ajoelhamos na relva curta da primavera e começamos a procurar até que encontramos um raminho de violetas e cada um deu ao outro o seu, e quando começou a esfriar e a luz passou a cair inclinada sobre as rochas, Rosa disse que tinha de voltar para casa, e então ambos nos pusemos tristes, pois eu não podia acompanhá-la, mas já agora tínhamos ambos um segredo em comum e isso era o que de mais precioso possuíamos. E lá permaneci no alto da rocha, a cheirar a violeta que Rosa me presenteara, aproximei-me do precipício, com o rosto voltado para o fundo e olhei lá embaixo a cidade e acompanhei com a vista a doce e pequena figura da jovem, que apareceu lá mais embaixo, passou junto ao chafariz e correu pela ponte. Sabia agora que já havia chegado à casa de seus pais e estaria passeando em seu quarto, e eu estava ali em cima, com o coração repleto dela, mas de mim até ela havia um liame, havia uma corrente, soprava um mistério.

Voltamos a ver-nos uma e outra vez, nos rochedos, nos jardins, durante toda a primavera, e quando os lilases começaram a florescer, demos o primeiro beijo angustioso. Pouco era o que, por sermos então crianças, podíamos dar um ao outro, e nosso beijo foi trocado assim sem ardor e sem plenitude; só me atrevi a acariciar os cachos soltos que lhe cobriam as orelhas, mas tudo era nosso, tudo o que éramos capazes de fazer em amor e alegria; e com cada tímido contato, com cada palavra amorosa, imatura, com cada medroso esperar, provávamos uma nova delícia, subíamos um degrau a mais na escada do amor.

E assim, começando com Rosa e as violetas, voltei a reviver todos os amores de minha vida, mas sob signos mais venturosos. Desapareceu Rosa e surgiu Irmgard, e o sol se tornou mais ardente e as estrelas mais ébrias, mas nem Rosa nem Irmgard foram minhas; tive de subir degrau por degrau, tive de aprender muito, sofrer muito, tive de perder também Irmgard e Anna. Voltei a amar a cada uma das mulheres a quem amara em minha juventude, mas podia agora inspirar amor a cada uma delas, dar algo a cada uma, ser agraciado por elas. Desejos, sonhos e possibilidades que em outro tempo só haviam vivido em minha fantasia eram agora realidade, e eu os vivia. Oh! flores todas formosas, Ida e Lore, todas as que amei durante um inverno, um mês, um dia!

Compreendi que eu era agora o formoso e deslumbrante rapazinho que eu vira antes correr tão diligente em direção à porta do amor. Eu estava vivendo somente uma parte de meu ser, uma porção que em meu ser e em minha vida reais não havia ocupado nem a décima ou milésima parte, e eu o estava vivendo inteiramente, livre de todas as outras figuras de meu ser, sem ser perturbado pelo pensador, nem torturado pelo Lobo da Estepe, nem tolhido pelo poeta, o visionário ou o moralista.

Não, eu era agora exclusivamente o amante, respirava apenas a felicidade e o perfume do amor. Irmgard me ensinara a dançar. Ida, a beijar; e a mais formosa, Emma, foi a primeira que, sob as ramagens dos olmos, numa tarde de outono, me deu a beijar os seios morenos e a beber o cálice do prazer.

Grandes prazeres tive no pequeno teatro de Pablo, e as palavras não conseguem exprimir a milésima parte deles. Todas as mulheres que em outra época amei foram minhas então; cada uma delas me deu o que só ela podia me dar e a cada uma dei o quanto só ela sabia como tomar. Muito amor, muita ventura, muito prazer, muita perplexidade e dor também sofri; os amores que desperdicei na vida foram recuperados naquela hora de sonho, floresceram prodigiosamente em meu jardim: flores castas e delicadas, flores vermelhas, flores escuras que logo murchavam, ardente luxúria, íntimo devaneio, melancolia ardente, angustioso desfalecimento, esplendente renascer. Deparei com mulheres a quem tinha de conquistar de um lance, num relâmpago, e a outras que era um prazer conquistar aos poucos e cuidadosamente; voltaram a surgir dos ângulos crepusculares de minha vida, nos quais, em outros tempos, embora apenas por um instante, me chamou a voz do sexo, me incendiou um olhar de mulher, me enfeitiçou o brilho da pele clara de uma jovem, e todo o perdido foi recuperado. Todas foram minhas, cada uma ao seu modo. A mulher de olhos notavelmente castanhos e escuros sob uns cabelos de linho lá estava; aquela junto à qual estive certa vez um quarto de hora debruçado na janela de um trem e com quem sonhei depois tantas e tantas vezes — não falou uma só palavra, mas ensinou-me habilidades amorosas insuspeitadas, espantosas, mortais. E a chinesa suave, tranquila e sorridente como o cristal, do porto de Marselha, com seu cabelo liso profundamente negro e os olhos ridentes também sabia coisas inauditas. Cada uma tinha seu segredo, e o perfume peculiar de sua terra; beijava, ria à sua maneira, ruborizava a seu modo, mostrava-se à sua maneira despudorada. Vinham e partiam, a corrente as trazia até mim, atraía-me para elas, delas me afastava, num flutuar jocoso e infantil na corrente do sexo, cheio de encanto e cheio de perigo, cheio de surpresas. E estava assombrado de quão rica fora minha vida, minha vida de Lobo da Estepe na aparência tão pobre e sem amor, nas oportunidades e nas seduções do amor. E as havia perdido todas, fugido diante delas, feito com que se precipitassem, esquecido depois. Mas aqui estavam todas guardadas, sem faltar nenhuma, às centenas. E agora que as via, a elas me entregava sem entraves e mergulhava no róseo crepúsculo de seu mundo inferior. Também voltara aquela sedução a que Pablo me convidara havia tempo, bem como outras anteriores, as quais não havia compreendido; fantásticos jogos amorosos entre três e entre quatro recebiam-me a sorrir em sua cadência. E sucederam coisas e praticamos jogos que não são para serem descritos.

Dessa interminável cadeia de atrativos, de vícios, de enredos, saía eu sempre silencioso, tranquilo, preparado, saciado de saber, prudente, mais experimentado, mais maduro para Hermínia. Como última figura de minha mitologia numerosa, como último nome de uma série infinita, aparecia Hermínia, e ao mesmo tempo me voltou a consciência e pus fim a essa história de amor, pois não queria encontrá-la nos reflexos de um espelho mágico. Eu pertencia a ela não como uma simples peça de meu jogo de xadrez, mas pertencia-lhe inteiramente. Oh, eu prepararia agora todas as peças de meu jogo de modo a que tudo se concentrasse nela e me conduzisse à concretização de meu desejo!

A corrente havia-me arrojado à terra; de novo me encontrava nos corredores do teatro. Que fazer agora? Procurei as figurinhas em meu bolso, mas já aquele impulso se desvanecera. Inesgotável me rodeava aquele mundo de portas, de letreiros, de espelhos mágicos. Li sem vontade o cartaz mais próximo, e estremeci:

COMO SE MATA POR AMOR

era o que dizia.

Uma recordação despertou dentro de mim, palpitante, e não durou mais que um segundo: Hermínia, na mesa de um restaurante, entregue inteiramente à conversação, esquecida dos vinhos e da comida, com o olhar terrivelmente sério quando disse que se tornaria minha amante somente para que pudesse morrer por minha mão. Uma pesada onda de angústia e obscuridade inundou-me o coração; de súbito ergueu-se outra vez diante de mim, logo senti no mais íntimo a última chamada do destino. Desesperado, meti a mão no bolso para tirar as figurinhas, para praticar um pouco de mágica e restabelecer a ordem em meu tabuleiro. Mas as figuras já não estavam ali. Em vez delas, tirei do bolso um punhal. Mortalmente horrorizado, corri pelo corredor, passando diante das portas, e me detive em frente do monumental espelho e olhei bem no fundo dele. Lá dentro estava um formoso lobo da minha altura, sereno, com os olhos inquietos timidamente a brilhar. Olhou-me vacilante, sorriu um pouco, deixando ver um momento a língua rubra entre o focinho partido.

Onde estava Pablo? Onde estava Hermínia? Onde estava o prudente senhor que havia falado com tanto acerto sobre a formação da personalidade? Voltei a olhar no espelho. Estava ficando louco. Ali não havia nenhum lobo por detrás do cristal, a lamber o focinho com a língua. No espelho estava eu, Harry, com o rosto abatido, cansado por todos os jogos, fatigado de todos os vícios, horrivelmente pálido, mas continuava sendo um ser humano, continuava sendo alguém com quem se podia falar.

— Harry — disse eu —, que faz aí?

— Nada — disse o espelho —, estou esperando. Espero a morte.

— Mas onde está a morte?

— Já vem — disse o outro.

E ouvi soar nos ambientes vazios do interior do teatro uma música bela e assustadora, aquela música do *Don Giovanni* que anuncia a entrada do convidado de pedra. Ressoava tetricamente seu frígido som pela casa fantasmagórica, como se viesse do além, da imortalidade.

Mozart!, pensei, e com esta palavra conjurei a imagem mais excelsa e amada de minha vida interior.

Ouviu-se então atrás de mim uma gargalhada, uma clara e gélida gargalhada, nascida além da dor insuspeitada pelo homem, nascida do humor dos deuses. Voltei-me transido e feliz ao ouvir aquele riso, e vi Mozart, que se aproximava, vi-o passar diante de mim, sorrindo; dirigiu-se preguiçosamente a uma das portas, abriu-a e entrou, e eu o segui ansioso, pois era o deus de minha juventude, toda a minha vida fora objeto de amor e veneração a ele. A música continuava tocando. Mozart estava em frente à caixa do teatro, do qual nada se via, pois que envolto em trevas.

— Observe — disse Mozart — que a coisa anda bem mesmo sem o saxofone, embora na verdade eu não queira de forma alguma menosprezar esse famoso instrumento.

— Onde estamos? — perguntei.

— No último ato do *Don Giovanni*, Leporello está de joelhos. Um cena soberba e, diga-se, a música também é boa. Embora tenha algo muito humano em si, já se percebe, não obstante, o além, o riso, não?

— É a melhor música que já se escreveu — disse eu solenemente, como um mestre-escola. — Certamente, depois viria Schubert, Hugo Wolf, e não posso esquecer o pobre e magnífico Chopin. O senhor se admira, maestro? Oh, sim, Beethoven também está entre eles, também é prodigioso. Mas todos, embora admiráveis, têm algo de fragmentário, de dissolução em si; uma obra de tamanha plenitude e força não voltou a surgir depois do *Don Giovanni*.

— Não se exceda — sorriu Mozart, terrivelmente irônico. — O senhor também é músico? Já abandonei o ofício e agora me entrego ao descanso. Só por distração é que vez por outra ainda me preocupo com o assunto.

Ergueu as mãos como se estivesse regendo a orquestra, e uma lua, ou uma pálida constelação, surgiu algures. Olhei sobre a caixa do palco o espaço insondável, no qual se levantavam névoas e nuvens, no qual emergiam montanhas envoltas em crepúsculos e praias, e aos nossos pés se estendia uma ampla planície desértica. Na planície vimos um ancião de aspecto respeitável, de longa barba, e rosto aflito, que conduzia um exército poderoso de uns dez mil homens, todos vestidos de preto. Parecia estar confuso e desesperado, e Mozart disse:

— Veja, é Brahms. Aspira à redenção, mas custará muito a alcançá-la.

Soube que aqueles milhares de homens vestidos de preto eram seus cantores e executantes daquelas vozes e notas que, segundo o juízo divino, haviam sido desnecessárias e supérfluas em suas partituras.

— Orquestração demasiado pesada, vasto material desperdiçado — observou Mozart.

Em seguida vimos à frente de um grande exército, igualmente numeroso, Richard Wagner, empurrado pela multidão, fatigado, arrastando-se com passos vacilantes.

— Em minha juventude — observei com tristeza —, esses dois músicos eram tidos como os mais extremos contrastes que se podiam conceber.

Mozart sorriu.

— Sim, é sempre assim. Tais contrastes, vistos a pequena distância, sempre tendem a apresentar sua crescente similitude. A instrumentação excessiva não foi, na verdade, uma falha pessoal de Wagner ou de Brahms; era um defeito de sua época.

— Como? E tiveram de pagar tão duramente por isso? — perguntei, num tom de protesto.

— Naturalmente. A lei segue seu curso. Depois de pagar a culpa de seu tempo, ver-se-á se a culpa pessoal merece alguma redenção.

— Mas nenhum dos dois teve culpa!

— Certamente que não. Não tiveram culpa, como tampouco Adão teve culpa por ter comido a maçã, nem por isso deixou de pagar pelo pecado.

— Mas isso é terrível.

— Sem dúvida, a vida é sempre terrível. Nada podemos fazer em contrário e, não obstante, somos responsáveis. Mal se nasce já se é culpado. O senhor deve ter recebido instrução religiosa muito particular para desconhecer tais dogmas.

Aquilo fora para mim desilusório. Vi a mim mesmo arrastando-me pelo deserto do além, como um peregrino morto de cansaço, carregado com os inúmeros livros inúteis que havia escrito, com todos os artigos e opúsculos que havia publicado, seguido de um exército de leitores que se viram obrigados a tragar tudo aquilo. Meu Deus! E além disso, ali estavam também Adão e a maçã, e toda a restante culpa hereditária. Tinha de purgar tudo aquilo e só então poder-se-ia levantar a questão se, após tudo aquilo, havia algo pessoal, algo próprio que considerar, ou se todos os meus atos e suas consequências não seriam mais que espumas boiando no mar, ondulação sem sentido na torrente dos acontecimentos.

Mozart começou a rir com vontade quando viu minha cara constrangida. Dava saltos no ar e fazia cabriolas com as pernas sem parar de rir. Logo me gritou:

— Ah! Ah! Ah!, meu camarada, fizeste uma embrulhada e acabaste sem dizer nada. Pensa nos teus leitores, nesses pobres pecadores e de livros roedores? E nos teus linotipistas, nos homens de curtas vistas, nos medianos artistas? Seu dragão de chamas falsas, isso é de rir até arrebentar as alças e fazer pipi nas calças. Oh, coração de fé imensa, vejo tua luta intensa, com tua tinta de imprensa; uma vela eu te daria só por pura zombaria! Burlado, escarnecido, vai avante, com teu rabo bamboleante. Deus ordena que o diabo te carregue, que em boa sova te pegue, e te moa o bom finório por todos os teus escritos e teu oco palavrório.*

Aquilo era demasiado forte para mim. O asco não me deixava lugar para a aflição. Agarrei Mozart pelo chinó, mas ele me fugiu; a trança foi ficando comprida, comprida como a cauda de um cometa, a cujo extremo eu estava seguro e girava ao redor do mundo! Esses imortais suportam uma atmosfera horrivelmente tênue e fria. Mas dava prazer aquele ar gelado, pelo menos assim me pareceu nos poucos instantes que levei para perder os

---

* Todo o parágrafo é uma algaravia rimada. (N. do T.)

sentidos. Transpassou-me uma alegria amarga, acerada, gélida, um desejo igualmente luminoso, selvagem e supraterreno de rir como Mozart o fizera. Mas o alento e a consciência me fugiram.

Confuso e destroçado, voltei a mim mesmo; a branca luz do corredor refletia-se no solo brilhante. Já não estava entre os imortais. Continuava do lado de cá do mistério, da dor, do Lobo da Estepe, da confusão atormentadora. Não havia encontrado nenhum sítio aprazível, nenhum lugar suportável. Aquilo tinha de acabar.

No grande espelho da parede achava-se Harry diante de mim. Seu aspecto não era melhor do que na noite em que, após a visita ao professor, entrou no baile do Águia Negra. Mas aquilo estava muito longe, anos e séculos afastado; Harry havia envelhecido, havia aprendido a dançar, havia visitado o teatro mágico, havia ouvido Mozart rir; já não sentia angústia diante do baile, diante das mulheres, diante dos punhais. Mesmo aqueles medianamente dotados, com o passar de uma centena de anos, atingiriam a maturidade. Examinei Harry demoradamente no espelho: reconhecia-o ainda, continuava ainda a parecer-se um tanto com o Harry de há cinquenta anos, que num domingo de março havia encontrado Rosa nos penedos e havia tirado diante dela o boné de escolar. E no entanto havia envelhecido uma centena de anos após isso, havia cultivado a música e a filosofia, lutara até não poder mais, bebera vinho no Elmo de Aço e discutira sobre Krishna com homens de honesto saber. Amara Erika e Maria, fora amigo de Hermínia, disparara contra automóveis e dormira com a suave chinesinha; encontrara Goethe e Mozart e fizera alguns buracos na rede do tempo e da realidade ilusória, na qual caíra prisioneiro. E, embora tivesse perdido duas figurinhas de xadrez, ainda tinha um magnífico punhal no bolso. Adiante, velho Harry, velho e cansado companheiro.

Ufa! Que diabo! Que amargo era o gosto da vida! Cuspi contra o Harry do espelho, dei-lhe um pontapé e o fiz cair em pedaços. Lentamente avancei pelo corredor cheio de ressonâncias, examinei atentamente as portas, que tantas coisas maravilhosas prometiam: já não havia nenhum letreiro nelas. Passei lentamente diante das cem portas do teatro mágico. Não estivera hoje no baile de máscaras? Haviam-se passado cem anos desde aquele dia? Em breve os dias iriam acabar inteiramente. Algo, no entanto, ainda restava por fazer. Hermínia continuava à minha espera. Seria uma estranha união, e eu flutuava numa onda amarga, amargamente arrastado, escravo, lobo da estepe. Ufa, demônios!

Detive-me diante da última porta, Mozart!

Abri. O que encontrei no interior da porta foi uma cena simples e bela. Num tapete que recobria o solo vi duas figuras desnudas, a bela Hermínia e o formoso Pablo, uma ao lado da outra, adormecidas profundamente, totalmente esgotadas pelo jogo do amor, que tão insaciável parece, e contudo tão logo nos sacia. Formosas, formosíssimas criaturas, soberba imagem, corpos maravilhosos! Sob o seio esquerdo de Hermínia havia uma mancha redonda e fresca, que começava a roxear — uma dentada amorosa dos branquíssimos dentes de Pablo. Ali onde havia a marca, cravei meu punhal até o cabo. O sangue correu sobre a pele branca e delicada de Hermínia. Eu teria beijado aquele sangue cem, mil vezes, se tudo tivesse corrido um pouco diferente. Agora já não havia lugar para isso; olhava apenas como o sangue fluía e vi seus olhos se abrirem por um momento, cheios de dor, profundamente assombrados. Por que se espanta?, pensei. Então me ocorreu que eu teria que lhe cerrar os olhos.

Mas estes se cerraram por si sós. E tudo estava feito. Só se voltou um pouco de lado, e desde a axila até o seio vi correr uma delicada e fina sombra, que pareceu querer recordar-me algo, mas não atinava com o que era. Logo jazeu imóvel.

Contemplei-a por longo tempo. Por fim estremeci como se despertasse e quis ir-me embora. Então vi Pablo espreguiçar-se, vi-o abrir os olhos e estender os braços, depois inclinar-se sobre a jovem morta e sorrir. Esse camarada nunca levará nada a sério, pensei comigo. Será que tudo é para ele motivo de riso? Pablo apanhou cuidadosamente a ponta do tapete e cobriu com ele o corpo de Hermínia até a altura do peito, de modo a encobrir o ferimento, e saiu imperceptivelmente do palco. Onde iria? Todos estavam me deixando só? Fiquei sozinho com a morta meio coberta, aquela a quem amava e invejava. Sobre sua fronte pálida pendia o riso juvenil, a boca resplandecia vermelha no rosto intensamente pálido e estava um pouco aberta, os cabelos perfumavam suavemente o ambiente e deixavam ver a orelha bem modelada.

Seu desejo se havia cumprido. Antes que fosse inteiramente minha, havia matado meu amor. Fizera o impensado, e então me ajoelhei diante dela e olhei-a fixamente, e não sabia o que esta ação significava, se fora justa e boa ou totalmente o contrário. Que diria o prudente jogador de xadrez, que diria Pablo? Não sabia, não conseguia pensar. Cada vez refulgia mais rubra a boca pintada no rosto apagado. Assim fora toda a minha vida. Minha parca felicidade e amor tinham sido como aquela boca pasma: um pouco de carmim numa máscara mortuária.

E do rosto morto, dos brancos ombros mortos, dos mortos braços brancos exalava um horror, que se aproximava lentamente, uma solitude e um deserto hibernal, um frio que crescia lentamente, no qual se iam tornando hirtos os lábios e as mãos.

Terei apagado o sol? Matei o coração de toda a vida? O frio da morte estender-se-á por todo o universo?

Olhei fixamente para a face que se fizera de pedra, os traços que se tornaram rígidos, o resplendor plúmbeo e frio da orelha. A frigidez que de todas essas partes emanava era mortal e também bela: soava, vibrava prodigiosamente — era música!

Eu já não experimentara em outro tempo este mesmo horror, que àquela época era então uma delícia? Não escutara já uma vez esta mesma música? Sim, junto com Mozart, junto aos imortais.

Recordei uns versos que em outro tempo havia encontrado não sei onde:

> Já nós vivemos
> no gelo etéreo transluminado de estrelas,
> não conhecemos os dias nem as horas,
> não temos sexo nem idade...
> fria e imutável é nossa eterna essência,
> frígido e astral nosso eterno riso...

Abriu-se a porta do palco e apareceu Mozart, a quem reconheci num segundo olhar, pois estava sem chinó, sem os calções curtos, sem os sapatos de fivela, mas vestido à moderna. Aproximou-se de mim e quase tive de detê-lo para que não se manchasse com o sangue que escorrera pelo chão, jorrado do peito de Hermínia. Sentou-se e começou a entreter-se com uns aparelhos e instrumentos que havia em seu redor, movendo-os e aparafusando-os com detida atenção; fiquei observando-o, admirado da destreza de seus dedos, os quais em outra época eu gostaria de ver tocando o piano. Contemplava-o pensativo, ou melhor, não pensativo mas sonhador e perdido na contemplação de suas mãos, formosas e sábias, animado por um sentimento de proximidade e também um tanto angustiado. Não suspeitava em absoluto o que ele andava maquinando, nem o que intentava.

Logo percebi que era um aparelho de rádio que ele havia montado e posto em funcionamento. Do alto-falante veio uma voz: "Fala Munique. Ouviremos agora o 'Concerto grosso', em fá maior, de Händel."

Imediatamente, para meu indescritível assombro e horror, o diabólico funil de metal começou a vomitar aquela mistura de viscosidades bronquiais e goma de mascar que os proprietários de fonógrafos e amantes do rádio concordaram em chamar de música, e no fundo daquela turva reunião de mucilagem e escórias podia-se perceber, como por baixo de uma grossa camada de graxa, uma antiga e apreciada imagem, a nobre estrutura dessa música divina, o amplo e profundo sopro, a funda e larga ressonância das cordas.

— Meu Deus! — exclamei horrorizado. — Mozart, que fazeis? Desejais de fato infligir-nos, a vós e a mim, essa lavagem? Pretendeis deixar-nos este diabólico aparelho, o triunfo de nossa época, a última arma vitoriosa na luta de destruição contra a arte? Será possível, Mozart?

Como se ria o homem sinistro, como ria fria e fantasmalmente, silenciosamente e, no entanto, fazendo retumbar tudo com seu riso! Com íntimo júbilo observava meu tormento, movia os botões e atentava para a corneta de metal. Rindo ainda, deixava retumbar pela sala a música deformada, assassina e assassinada; e rindo sempre, respondeu:

— Por favor, nada de sentimentalismos, meu caro! Prestou atenção ao *ritardando*? Um achado, não? Isso mesmo, e agora, meu impaciente senhor, permita que o sentido desse *ritardando* lhe penetre o espírito. Está ouvindo os baixos? Caminham como deuses. Deixe que penetre e tranquilize seu inquieto coração esse capricho do velho Händel. Ouça de novo, ó infeliz, ouça sem sentimentalismos nem zombaria, e deixe passar por trás o véu deste ridículo e imbecilizante aparelho, a forma distante dessa música divina! Preste atenção que aprenderá algo. Observe o que esse alto-falante idiota, o mais estúpido e inútil objeto que o mundo contém, consegue fazer: apodera-se de certa música tocada em qualquer parte, sem qualquer seleção ou refinamento, e além disso lamentavelmente desfigurada, e carrega-a para um espaço que não lhe pertence; e contudo nada pode destruir o espírito original dessa música, mas apenas manifestar nela a própria técnica torpe e a febre de atividade isenta de qualquer espírito. Ouça com atenção, ó infeliz! O senhor tem necessidade dela! E agora, através do rádio, ouvirá não somente a música de Händel desfigurada, embora permaneça divina sob uma forma tão medonha, mas ouvirá e verá, caríssimo senhor, um admirável símbolo de nossa existência. Quando o senhor ouve rádio, ouve e vê a luta ancestral entre a ideia e o fenômeno, entre a eternidade e o tempo, entre o divino e o humano. Assim como o rádio despeja a música mais sublime do mundo sem distinção nos lugares mais impossíveis, nos salões burgueses e nas águas-furtadas, e em meio a ouvintes que discutem, que devoram alimentos, que bocejam ou que dormem, assim como rouba a essa música sua beleza sensual, estraga-a, arranha-a e lambuza-a e todavia não consegue matar de todo seu espírito — assim também a vida, a chamada realidade, trata a sublime imagem do mundo, permite acompanhar em Händel uma informação sobre a técnica de manipular os balanços das empresas industriais de médio porte, faz da prodigiosa ressonância da orquestra uma mixórdia, introduz sua técnica em todos os lugares, sua atividade febril e sua miserável incultura, entre a ideia e a realidade, entre a orquestra e o ouvido. A vida é toda assim, meu filho, e temos de deixá-la ser assim, e se não formos idiotas devemos rir-nos dela. Pessoas do seu nível não devem criticar o rádio ou a vida. Aprenda primeiro a ouvir! Aprenda a levar a sério o que merece ser levado a sério, e a rir e tudo mais! Ou será que o senhor conseguiu fazer algo melhor, algo mais nobre, mais prudente, mais gracioso? Oh!, *monsieur* Harry, nada disso o senhor fez. Apenas fez de sua vida a atroz história de uma enfermidade, fez de seus dotes um infortúnio. E, como acabo de ver, não soube fazer outra coisa com uma jovem tão linda e encantadora senão enfiar-lhe um punhal no peito e destruí-la! Isso lhe parece justo?

— Justo? Oh, não! — exclamei, desesperado. — Meu Deus, tudo é tão falso, tão infernalmente estúpido e errado! Sou uma besta, Mozart; um animal estúpido e cruel, enfermo e estropiado; tendes mil vezes razão. Mas, no que respeita à moça, foi ela mesma quem o quis; eu apenas lhe satisfiz a vontade.

Mozart riu em silêncio, mas teve a grande amabilidade de desligar o rádio.

Minha justificativa soou a mim mesmo desde logo inteiramente insensata, embora tivesse nela acreditado com toda a minha alma. Quando Hermínia me falou a propósito do tempo e da eternidade — ocorreu-me de pronto —, cheguei a ver em seus pensamentos um reflexo dos meus. Mas aceitei como evidente que a ideia de fazer-se matar por mim não passava por inteiro de um capricho e de um desejo pessoal de Hermínia, sem a menor influência de minha parte. Mas por que não me limitei então a aceitar e a crer nesta ideia tão espantosa e surpreendente, mas ainda cheguei a adivinhá-la? Talvez porque fosse também minha? E por que matara Hermínia precisamente no momento em que a vi nua nos braços de outro? A gargalhada de Mozart ressoou sábia e irônica.

— Harry — disse —, isso é uma pilhéria. Será possível que essa jovem não desejava do senhor outra coisa senão que lhe desse uma punhalada? Vá dizer esta para outro! Bem, pelo menos soube fazê-lo com certa perícia: a pobre moça está bem morta. Já está em tempo de apurarem as consequências de sua galanteria para com essa jovem. Ou pensa, acaso, escapar das consequências?

— Não! — gritei. — Não me compreendeis de todo? Fugir às consequências? Não aspiro a outra coisa senão pagar, pagar e pagar, deitar a cabeça sob o cutelo e deixar que baixe sobre mim o castigo e o aniquilamento.

Mozart olhou para mim com intolerável ironia.

— O senhor é sempre patético! Mas tem de aprender o que é o humor, Harry; o humor é sempre humor patibulário e, em caso de necessidade, há de aprendê-lo mesmo no patíbulo. Está disposto a isso? Está? Pois bem, então apresente-se ao juiz e deixe que todo o aparato sem humor da justiça humana caia sobre os seus ombros e sua cabeça seja deles separada numa fria manhã no pátio de um cárcere. Está preparado para isso?

Um letreiro brilhou de súbito diante de mim:

EXECUÇÃO DE HARRY

e com um movimento de cabeça manifestei minha aprovação. Um pátio sombrio entre quatro muros, com janelas estreitas e fechadas por grades, uma guilhotina preparada, uma dezena de homens vestidos de túnicas e, no meio deles, eu, tiritando na luz acinzentada do amanhecer, com o coração oprimido pela angústia e pelo medo, porém disposto e conformado. Dei passos à frente quando assim me ordenaram, e ajoelhei-me quando me mandaram. O juiz tirou o barrete, limpou a garganta; todos os outros senhores também limparam a garganta. Abriu um documento oficial e, segurando-o à sua frente, leu:

— Meus senhores, em vossa presença está Harry Haller, acusado e julgado culpado de uso fraudulento de nosso teatro mágico. Harry não só ultrajou a arte sublime, confundindo nossa formosa casa de imagens com a chamada realidade, matando uma jovem ilusória com um punhal ilusório, como também demonstrou sua intenção de servir-se de nosso teatro como de uma máquina de suicídio, sem nenhum humor. Em consequência, condenamos o mencionado Sr. Haller à pena de vida eterna e à proibição por 12 horas de entrar em nosso teatro. Tampouco poderemos poupar ao condenado o castigo de lhe rirmos na cara. Senhores, todos juntos: um, dois e três!

Ao três todos os presentes prorromperam numa gargalhada unânime, uma gargalhada em coro elevado, uma gargalhada do além, dificilmente suportável pelos ouvidos humanos.

Quando voltei a mim, vi Mozart sentado ao meu lado como antes, tocando-me nos ombros e dizendo-me:

— Acabou de ouvir a sentença. Já pode ir-se acostumando a ouvir a música de rádio desta vida. Isso lhe fará bem. O senhor é extraordinariamente maldotado, não passa de um cabeça-dura; mas irá compreendendo pouco a pouco o que se espera do senhor. Tem de aprender a rir, isso é o que se exige. Tem de compreender o humor da vida, o humor patibular. Mas, é claro, o senhor está preparado no mundo para tudo, menos para o que se lhe pede! Está preparado para matar mocinhas, para deixar-se julgar solenemente, decerto também está preparado para mortificar-se durante cem anos e mesmo flagelar-se, não é verdade?

— É verdade! Estou preparado de todo o coração — exclamei em minha miséria.

— Naturalmente! O senhor está disposto a qualquer tolice que careça de humor, meu caro; para tudo o que seja patético e destituído de graça. Mas eu não estou disposto a dar-lhe nem um níquel por toda a sua romântica penitência. O senhor quer ser julgado, quer que lhe cortem a cabeça, ó sanguinário! Por esse estúpido ideal seria capaz de dar outras dez punhaladas. O senhor está disposto a morrer, seu covarde, mas não a viver. Ao diabo! Mas terá de viver! Seria bem merecido que o condenássemos à pena máxima.

— Oh! E qual seria essa pena?

— Podíamos, por exemplo, ressuscitar a moça e casá-lo com ela.

— Não, a isso não estaria disposto. Seria uma desgraça.

— Como se não fosse uma desgraça toda a confusão que o senhor já preparou! Mas vamos acabar de vez com todo o patético e os golpes mortais. Já está na hora de ser razoável. O senhor tem de viver e aprender a rir. Tem de aprender a escutar a maldita música de rádio da vida, tem de reverenciar o espírito que existe por trás dela e rir-se da algaravia que há na frente. É tudo o que exigimos do senhor.

Lentamente, por entre dentes cerrados, perguntei:

— E se eu não me submeter? E se eu vos negar, Sr. Mozart, o direito de dispor do Lobo da Estepe e de vos imiscuirdes em meu destino?

— Então — disse Mozart, calmamente —, eu o convido a fumar um dos meus maravilhosos cigarros.

Dizendo isso, e enquanto tirava num passe de mágica um cigarro do bolso do colete e me oferecia, deixou de ser Mozart, e fitando-me calidamente com seus olhos exóticos converteu--se em meu amigo Pablo, bem assim no homem que me havia ensinado a jogar com as figurinhas no tabuleiro de xadrez.

— Pablo! — exclamei, palpitando. — Pablo, onde estamos? Pablo deu-me o cigarro e ofereceu-me fogo.

— Estamos — disse rindo — em meu teatro mágico, e se quiseres aprender a dançar o tango ou ser um general ou conversar com Alexandre, o Grande, tudo isso estará à tua disposição da próxima vez. Mas devo dizer-te, Harry, que me decepcionas bastante. Esqueceste horrivelmente de ti, quebraste o humor do pequeno teatro e cometeste uma felonia; mataste a punhaladas e manchaste nosso belo mundo de imagens com as nódoas da realidade. Isso não foi correto de tua parte. Espero, pelo menos, que o tenhas feito por ciúmes, quando viste Hermínia dormindo nos meus braços. Infelizmente, não soubeste manejar essa figura; imaginei que havias aprendido o jogo melhor. Espero que procedas melhor da próxima vez.

Apanhou Hermínia, que se havia convertido, de súbito, numa figurinha de xadrez em seus dedos, e guardou-a no mesmo bolso do colete de onde, antes, havia tirado o cigarro.

Prazerosamente saboreei o doce e pesado fumo do cigarro, senti-me exausto e disposto a dormir um ano inteiro.

Oh!, agora compreendia tudo: compreendia Pablo, compreendia Mozart, ouvia algures atrás de mim seu riso espantoso, sabia ter em meu bolso centenas de milhares de figurinhas do jogo da vida, suspeitava emocionado o sentido, tinha a intenção de iniciar de novo o jogo, de voltar a estremecer diante de seus desatinos, de voltar a percorrer o inferno do meu interior, não uma vez, mas sempre.

Da próxima vez, saberia jogar melhor. Da próxima vez, aprenderia a rir. Pablo me esperava. Mozart também.

Posfácio

Os escritos poéticos podem ser compreendidos e incompreendidos de muitas maneiras. Na maior parte dos casos, o autor não constitui a autoridade mais indicada para decidir até que ponto o leitor compreende e onde começa a incompreensão. Não são poucos aqueles a cujos leitores sua obra pareceria muito mais clara do que a eles próprios. Além do mais, as incompreensões até que podem ser frutíferas, sob certas circunstâncias.

Contudo, parece-me que de todas as minhas obras, *O Lobo da Estepe* é a que vem sendo mais frequente e violentamente incompreendida, e o curioso é que, em geral, a incompreensão parte mais dos leitores entusiastas e satisfeitos com o livro do que dos leitores que o rejeitaram. Em parte, mas só em parte, isso pode ocorrer com tal frequência em razão de este livro, escrito quando eu tinha 50 anos e tratando, como trata, de problemas peculiares a essa idade, cair não raro em mãos de leitores muito jovens.

Mas, entre leitores da minha própria idade, também tenho encontrado com frequência alguns que — embora bem impressionados com o livro — só percebem estranhamente apenas parte do que pretendi. Tais leitores, ao que me parece, reconheceram-se no Lobo da Estepe, identificaram-se com ele, sofreram suas dores e sonharam seus sonhos; mas não deram devido valor ao fato de que este livro fala e trata também de outras coisas, além de Harry Haller e de seus problemas, que fala a propósito de um outro mundo, mais elevado e indestrutível, muito acima daquele em que transcorre a problemática vida de meu personagem. O *Tratado do Lobo da Estepe* e outros trechos do livro que versam questões do espírito abordam assuntos de arte e mencionam os "imortais", opõem-se ao mundo sofredor do Lobo da Estepe com a afirmativa de um mundo de fé, sereno, multipersonalístico e atemporal. O livro trata, sem dúvida alguma, de sofrimentos e necessidades, mas mesmo assim não é o livro de um homem em desespero, mas o de um homem que crê.

É claro que não posso nem pretendo dizer aos meus leitores como devem entender minha história. Que cada um nela encontre aquilo que lhe possa ferir a corda íntima e o que lhe seja de alguma utilidade! Mas eu me sentiria contente se alguns desses leitores pudessem perceber que a história do Lobo da Estepe, embora relate enfermidade e crise, não conduz à destruição e à morte, mas, ao contrário, à redenção.

Herman Hesse, 1961

Este livro foi composto na tipografia Palatino
LT Std, em corpo 11,5/16,5, e impresso em
papel off-white no Sistema Cameron da
Divisão Gráfica da Distribuidora Record.